Para

com votos de paz.

DIVALDO FRANCO

Pelo Espírito Manoel Philomeno de Miranda

SEXO E OBSESSÃO

Salvador
8. ed. – 2024

COPYRIGHT © (2002)
CENTRO ESPÍRITA CAMINHO DA REDENÇÃO
Rua Jayme Vieira Lima, 104
Pau da Lima, Salvador, BA.
CEP 412350-000
SITE: https://mansaodocaminho.com.br
EDIÇÃO: 8. ed. (8ª reimpressão) – 2024
TIRAGEM: 1.000 exemplares (milheiro: 72.900)
COORDENAÇÃO EDITORIAL
Lívia Maria C. Sousa

REVISÃO
Luciano Urpia · Plotino da Matta
CAPA
Cláudio Urpia
MONTAGEM DE CAPA
Ailton Bosco
EDITORAÇÃO ELETRÔNICA
Ailton Bosco
COEDIÇÃO E PUBLICAÇÃO
Instituto Beneficente Boa Nova

PRODUÇÃO GRÁFICA
LIVRARIA ESPÍRITA ALVORADA EDITORA – LEAL
E-mail: editora.leal@cecr.com.br

DISTRIBUIÇÃO
INSTITUTO BENEFICENTE BOA NOVA
Av. Porto Ferreira, 1031, Parque Iracema. CEP 15809-020
Catanduva-SP.
Contatos: (17) 3531-4444 | (17) 99777-7413 (WhatsApp)
E-mail: boanova@boanova.net
Vendas on-line: https://www.livrarialeal.com.br

Dados Internacionais de Catalogação na Publicação (CIP)
(Catalogação na fonte)
BIBLIOTECA JOANNA DE ÂNGELIS

F825	FRANCO, Divaldo Pereira. (1927)
	Sexo e obsessão. 8. ed. / Pelo Espírito Manoel Philomeno de Miranda [psicografado por] Divaldo Pereira Franco. Salvador: LEAL, 2024.
	320 p.
	ISBN: 978-85-8266-003-4
	1. Espiritismo 2. Psicografia 3. Obsessão 4. Sexo I. Franco, Divaldo II. Título
	CDD: 133.93

Bibliotecária responsável: Maria Suely de Castro Martins – CRB-5/509

DIREITOS RESERVADOS: todos os direitos de reprodução, cópia, comunicação ao público e exploração econômica desta obra estão reservados, única e exclusivamente, para o Centro Espírita Caminho da Redenção. Proibida a sua reprodução parcial ou total, por qualquer meio, sem expressa autorização, nos termos da Lei 9.610/98.
Impresso no Brasil | Presita en Brazilo

Sumário

	Sexo e obsessão	7
1.	Compromissos iluminativos	15
2.	O poder da oração	23
3.	A comunidade da perversão moral	35
4.	O drama da obsessão na infância	43
5.	Conflito obsessivo	55
6.	Socorros espirituais	69
7.	Programações abençoadas	85
8.	Atendimento fraterno	99
9.	Lutas e provações acerbas	115
10.	Recomeço difícil e purificador	125
11.	Retorno à cidade pervertida	137
12.	Estranho encontro	149
13.	Decisões felizes	161
14.	Visita oportuna	169
15.	Sexo e obsessão	179
16.	O reencontro	191
17.	Libertação e felicidade	209
18.	Os labores prosseguem	223
19.	Liberdade e vida	237
20.	A ruidosa debandada	249
21.	Recomeço feliz	261
22.	Considerações edificantes	275
23.	Convites à reflexão e ao testemunho	287
24.	Despedidas	299
	Posfácio da Editora – A cidade estranha	311

SEXO E OBSESSÃO

200. *Têm sexos os Espíritos?*

"Não como o entendeis, pois que os sexos dependem da organização. Há entre eles amor e simpatia, mas baseados na concordância dos sentimentos."

201. *Em nova existência, pode o Espírito que animou o corpo de um homem animar o de uma mulher e vice-versa?*

"Decerto; são os mesmos os Espíritos que animam os homens e as mulheres."

202. *Quando errante, que prefere o Espírito: encarnar no corpo de um homem, ou no de uma mulher?*

"Isso pouco lhe importa. O que o guia na escolha são as provas por que haja de passar."

"Os Espíritos encarnam como homens ou como mulheres, porque não têm sexo. Visto que lhes cumpre progredir em tudo, cada sexo, como cada posição social, lhes proporciona provações e deveres especiais e, com isso, ensejo de ganharem experiência. Aquele que só como homem encarnasse só saberia o que sabem os homens."[1]

---

1. KARDEC, Allan. *O Livro dos Espíritos*. 29. ed. FEB, Segunda Parte, cap. IV (nota do autor espiritual).

O sexo é departamento orgânico programado pela vida para a reprodução da espécie.

Assexuado, o Espírito renasce numa como noutra polaridade, a fim de adquirir experiências e compreensão de deveres, que são pertinentes a ambos os sexos. A intrepidez masculina e a docilidade feminina são capítulos que dão ao Espírito equilíbrio e harmonia. Dessa forma, em uma reencarnação pode o Espírito tomar um corpo masculino e noutra um feminino, ou realizar um vasto programa de renascimento em um sexo para depois começar os processos experimentais em outro, sem qualquer prejuízo emocional para a sua estrutura íntima.

Fadado ao progresso, que é ilimitado, o Espírito deve vivenciar cada reencarnação enobrecendo as funções de que se constitui o seu corpo, de modo a desenvolver os valores que lhe dormem em latência.

Graças à conduta moral em cada polaridade, mais fácil se lhe torna, quando edificante, escolher o próximo cometimento. No entanto, quando se permite corromper ou desviar-se do rumo das suas funções, gera perturbações emocionais e psíquicas que lhe impõem duros processos de recuperação, de que não se pode furtar com facilidade.

A correta aplicação das forças genésicas propicia ao Espírito alegria de viver e entusiasmo no desempenho das tarefas que lhe dizem respeito, constituindo-se emulação para o progresso e a felicidade.

Nada obstante, o sexo é um dos capítulos mais complexos de algumas ciências psíquicas, tais a Psicologia, a Psicanálise, a Psiquiatria, em razão das disfunções e dos desconcertos que ocorrem em muitas vidas como resultado das experiências atormentadas próximas ou remotas, que lhes geraram desequilíbrios e inarmonias, hoje refletidos em seu *comportamento. Valiosos capítulos da Medicina são dedicados às psicopatologias sexuais, que se apresentam como aberrações morfológicas e psicológicas, levando o indivíduo a estados graves de conduta e de vida.*

Eminentes estudiosos da sexologia vêm procurando desmistificar as funções sexuais, que a ignorância medieval vestiu de fantasias e de pecados, gerando perturbações emocionais muito graves nas criaturas humanas. Como decorrência da nobre proposta, a liberação sexual, exagerando as suas licenças morais, vem trazendo transtornos graves e desarmonias profundas em muitos indivíduos que vivem conflitivamente em razão das dificuldades para se adaptarem às exigências comportamentais do momento.

É natural que, num momento de transição de valores, campeiem o absurdo e o fantasioso, tentando adquirir cidadania moral, ao mesmo tempo que empurram os cidadãos na direção do fosso da promiscuidade e do desespero, da fuga pelo tabaco, pelo álcool, pelas drogas aditivas, pela alucinação, pelo suicídio...

Torna-se indispensável quão imediata uma nova ética--moral, a fim de que os valores nobres granjeados pela sociedade no curso dos milênios não se percam no chafurdar das paixões e no desprestígio das instituições, como o matrimônio, a família, a castidade, a saúde comportamental, o grupo social...

O matrimônio e a monogamia são conquistas valiosas logradas pelo ser humano após torpes experiências de convivência doentia através dos tempos. Tentar reduzi-los a lembranças do passado é uma aventura macabra cujas consequências são imprevisíveis para a própria sociedade.

Vive-se, na Terra, a hora do sexo. O sexo vive na cabeça das pessoas, parecendo haver saído da organização genética na qual se sedia. Naturalmente, o pensamento é força atuante e desencadeadora da função sexual. Reduzir o indivíduo apenas às imposições reais ou estimuladas do sexo em desalinho, conforme vem acontecendo, é transformá-lo em escravo de uma função pervertida pela mente e atormentada pelas fantasias mórbidas.

O ser humano são os seus valores éticos, suas aspirações, seus sonhos, suas lutas, suas grandezas e também aprendizagens dolorosas. Graças a todos esses fenômenos do cotidiano, ele cresce e se aprimora, saindo dos limites em que se encarcera para os incomparáveis voos da amplidão. Sitiá-lo no gozo sexual e asfixiá-lo nos vapores da libido perturbada constitui agressão injustificável às suas conquistas emocionais, psíquicas e intelectuais, que lhe dão sabedoria para discernir e para realizar.

Progredindo sempre, o Espírito jamais retrograda no seu processo reencarnatório. Não obstante, em razão de conduta irregular pode estacionar, aguardando reparação dos erros graves cometidos, quando já não mais se deveria permiti-los. Nesse desenvolvimento intelecto-moral, vincula-se àqueles a quem ama ou de quem se distanciou pelo crime e pela iniquidade, experimentando o apoio dos afetos e a perseguição dos inimigos, que não o perdoam pelas ofensas de que foram vítimas.

É nesse campo de lutas que surgem as lamentáveis e dolorosas obsessões de graves consequências.

O sexo malconduzido, em razão do envolvimento emocional e das dilacerações espirituais que produz em outrem, como naquele que o utiliza mal, abre campo para terríveis conúbios obsessivos, ao mesmo tempo que, praticado de forma vil, atrai Espíritos igualmente atormentados e doentes que se vinculam ao indivíduo, levando-o a processos de parasitose *terrível e de difícil libertação.*

Desvios sexuais, aberrações nas práticas do sexo, condutas extravagantes e desarticuladoras das funções estabelecidas pelas Leis da Vida geram perturbações de largo curso, que não se recompõem com facilidade, senão ao longo de dolorosas reencarnações expungitivas e purificadoras.

Tormentos da libido e da função sexual têm suas matrizes nos comportamentos anteriores que o Espírito se permitiu, quando, em outras reencarnações, abusou da faculdade procriativa, aplicando-a para o prazer exorbitante, ou explorou pessoas que se lhe tornaram vítimas, estimulou abortamentos e se permitiu experiências perversas e anormais, ou derrapou nos excessos com exploração de outras vidas... Todas essas condutas arbitrárias fixaram-se nos tecidos sutis do perispírito, impondo necessidades falsas, que agora os pacientes procuram atender, ampliando o complexo campo de problemas íntimos.

O respeito e a consideração pelas funções sexuais constituem a melhor terapia preventiva para a manutenção da saúde moral, assim como o esforço para a recomposição do caráter, quando alguém já se permitiu corromper, ao lado da terapêutica especializada, fazem-se imprescindíveis para a conquista da harmonia.

Ninguém se engane quanto aos compromissos do sexo perante a vida e cuide de não enganar a outrem.

Cada um responde sempre pelo que inspira e pelo que faz.

O sexo não foi elaborado para o prazer vulgar, senão para as emoções superiores na construção das vidas, ou para as sensações compensativas quando amparado pelas dúlcidas vibrações do amor, mantendo a afetividade e a alegria de viver.

✻

Neste livro, tentamos fazer um estudo cuidadoso sobre sexo e obsessão, baseado em fatos reais, que vimos acompanhando há vários anos.

Procuramos suavizar o relato, evitando chocar alguns leitores menos avisados ou desconhecedores da Doutrina Espírita, porém evitamos disfarçar a realidade dos acontecimentos, tirando-lhes a legitimidade, de forma que a nossa mensagem possa alcançar as mentes e os corações, desenovelando-os de diversos conflitos e despertando-os para algumas ocorrências de parasitose obsessiva *em que talvez se encontrem envolvidos.*

O padre Mauro ainda se encontra na Terra, havendo recebido os Espíritos que se reencarnaram para resgates imperiosos e inadiáveis, conforme se comprometera em nossa Esfera de ação espiritual.

O seu lar de crianças deficientes hoje hospeda inúmeras antigas vítimas suas, que lhe recebem carinho e afeto, recuperando-se das alucinações que se permitiram, ele mesmo estando em processo de refazimento espiritual, avançando, porém, para os anos da velhice com paz no coração e com a consciência tranquilizada em razão do bem que vem executando.

A cidade perversa *vem lentamente sendo esvaziada pelo Amor de Deus, já que os seus habitantes, em número bastante expressivo, encontram-se reencarnados, desde há algumas dezenas de anos, dando curso às aberrações e hediondezes que se permitiam, quando lá estavam...*

A denominada mudança de comportamento dos anos sessenta, com a liberação sexual, tem muito a ver com a inspiração e chegada desses Espíritos que estão retornando à Terra, a fim de desfrutarem da oportunidade de renovação antes da grande depuração que experimentará o planeta, transferindo-se de mundo de provas e de expiações para mundo de regeneração.

A chance de que desfrutam é-lhes valiosa, porquanto, não sendo aproveitada conforme deverá, cassar-lhes-á outros ensejos, que somente serão recuperados em outras penosas situações em Orbes inferiores.

Este é, pois, o grande momento para todos nós, que aspiramos a uma vida melhor e mais ditosa.

Reflexionar e agir de maneira correta em relação às funções sexuais é dever de todo ser que pensa e que compreende a finalidade da existência humana.

Nesta hora de conturbação moral e de violência, de agressividade, de aberrações sexuais, de descontrole geral e de sofrimentos de todo porte, cumpre-nos, a todos, somar esforços em favor dos princípios da dignidade humana e da honradez, do equilíbrio no comportamento e da educação das gerações novas, único meio de oferecer ao futuro uma sociedade menos conturbada e deslindada dos terríveis cipoais da obsessão. À educação moral cabe a tarefa de construir um novo homem e uma nova mulher, que formarão uma nova e saudável sociedade para o porvir.

Como doutrina de educação, o Espiritismo oferece os melhores recursos e métodos para esse cometimento, colocando à disposição de todo e qualquer investigador o seu patrimônio de informações e o seu excelente laboratório mediúnico, para que ali encontrem o conforto e a coragem necessários para o enfrentamento que se apresenta em todos os instantes, no qual, por enquanto, têm predominado o vulgar e o perverso, embora os nobilíssimos exemplos de dignificação e nobreza de incontáveis cidadãos dedicados ao bem e ao dever.

❁

Reconheço que alguns companheiros de lide espírita e outros vinculados a diferentes crenças religiosas e diversas filosofias de comportamento dirão que o nosso é um livro de fantasias e destituído de qualquer sentido literário ou cultural. Não entraremos no mérito da opinião, que todos têm o direito de sentir e mesmo de expressar.

Cada qual fala daquilo de que está cheio o seu coração e iluminado o seu sentimento.

Havendo fruído a oportunidade das experiências que aqui relatamos em síntese, sentimo-nos felicitados pelo imenso prazer de haver concluído este trabalho, e poder ofertá-lo aos que são simples e puros de coração, *que anelam e trabalham por um mundo melhor e por uma sociedade muito feliz, vivendo, desde hoje, os dias venturosos do futuro, porque entregues aos ideais de plenificação sob a égide de Jesus Cristo, o* Modelo e Guia da Humanidade.

Salvador, 24 de junho de 2002.
MANOEL PHILOMENO DE MIRANDA

1
Compromissos iluminativos

A noite esplendia de belezas em razão do azul-safira do zimbório adornado de estrelas parecidas a crisântemos luminosos.

Uma brisa, levemente perfumada, perpassava, espraiando-se em todas as direções.

O silêncio era entrecortado apenas pelas vozes onomatopaicas da Natureza convidando à oração, à reflexão.

Muito distante, o globo terrestre, levemente banhado de luar, destacava-se na paisagem cósmica.

Carinhosas recordações assomaram-me à mente, evocando cenas que ficaram no passado e que foram vivenciadas no planeta querido, inesquecível berço e lar de bilhões de Espíritos que o habitam.

Não me podendo evadir às emoções resultantes das evocações queridas, fui invadido por doce nostalgia em relação às experiências espirituais da mais recente reencarnação, quando fora beneficiado pelo *sol* abençoado do Espiritismo.

Aprendera com as formosas lições com que Allan Kardec abrira a Era do Espírito insertas na Codificação a respeito do universo, da imortalidade, da comunicabilidade dos Espíritos, da pluralidade dos mundos habitados, que a marcha do progresso é infinita e agora podia reflexionar sobre o acerto dessas incomparáveis informações de sabor eterno, vivenciando-as com dúlcidas gratidões.

Enquanto no corpo, deixara-me conduzir pela certeza das elucidações dos Imortais, procurando pautar a conduta nas rigorosas diretrizes do dever, descobrindo, a partir de então, a alegria existencial e a felicidade relativa que todos podemos fruir quando nos comprometemos com os ideais de libertação da ignorância e de construção do bem no mundo íntimo e à nossa volta.

Agora, mais uma vez, podia constatar *de visu*, na realidade espiritual, o alto significado da fé racional proposta pelo Espiritismo, e a legitimidade dos seus postulados iluminativos, contemplando o cosmo e experimentando o contato mais direto com a vida.

Ante os meus olhos úmidos de lágrimas, que não se encorajavam a descer, sentia o *hálito* do Criador, e Sua grandiosa Obra me fascinava, alargando-me os horizontes das conjecturas.

Pensava a respeito de quanto a soberba humana é desmedida, raiando pela infantilidade, ao atribuir toda a grandeza cósmica ao fruto espúrio do acaso, capaz de reunir todas as moléculas esparsas no Universo, repentinamente se expressando na glória galáctica. Ademais, considerava que, se todas essas micropartículas sempre existiram no caos, certamente haviam tido uma origem, a que o absurdo da vã cultura sem Deus oferecia existência própria e ilógica.

Há dias encontrava-me na Colônia Espiritual Redenção, de onde partem com muita frequência Espíritos comprometidos com o progresso da Humanidade em reencarnações desafiadoras.[2]

A comunidade é constituída por uma sociedade de mais de um milhão de habitantes desencarnados, e nela se desenvolvem cuidadosos programas para a iluminação de consciências, não faltando os departamentos de assistência e socorro àqueles que retornam extenuados e desnorteados pelas vicissitudes e pelos insucessos que se permitiram.

Daqui viajam com expectativas ricas de esperanças e projetos de edificações libertadoras milhares de Espíritos que aspiram à felicidade. No entanto, após o mergulho na *névoa* carnal, os antigos vícios e as más inclinações em predominância ainda, os arrastamentos para o mal, os choques com os adversários do pretérito, não poucas vezes alterando-lhes os programas e delineamentos, obrigam-nos a ceder aos impulsos inferiores, e como efeito logo tombam nas malhas dos próprios enredamentos perniciosos.

Outrossim, organizações de benemerência e de caridade multiplicam-se pela cidade movimentada, com objetivo de ministrar cursos e lições aos futuros viajantes corporais, na convivência com os retornados em estado de sofrimento, que se lhes tornam verdadeiros exemplos de como não devem proceder.

Educandários avançados para pesquisas, que mais tarde se apresentarão no globo terrestre, recebem estudiosos ávidos de conhecimentos, não apenas residentes, mas que também vêm realizar estágios de aprendizado e treinamento procedentes de outras regiões.

---

2. Vide nosso livro mediúnico *Painéis da obsessão*, publicado pela Livraria Espírita Alvorada Editora. 2. ed. cap. 25 (nota do autor espiritual).

Situada sobre um grande centro urbano, na Terra, onde se movimenta agitada população, Entidades nobres a fundaram poucos anos antes da Independência do Brasil, objetivando, de início, acolher os lutadores idealistas pela libertação da Pátria, os abolicionistas, os republicanos, inspirando-os na conquista das metas que abraçavam, sem que extrapolassem nos métodos de que se deveriam utilizar.

Em consequência, graças à abnegação dos seus fundadores, entre os quais se destacou a futura abadessa Joana Angélica de Jesus, que também seria mártir das lutas fratricidas, durante a Independência do Brasil, na Bahia, desenvolvera-se com o apoio de iluminados heróis da fé e da caridade, que rumaram para a Terra oportunamente, contribuindo para torná-la menos inditosa, mais humanizada e melhor espiritualizada.

Entre os seus programas de libertação de consciências e de autoiluminação, teve primazia o labor de unificar os religiosos de diversas tendências e escolas de fé que mourejavam no plano físico, de forma que os escravos, que traziam os seus cultos animistas e as suas raízes africanistas, pudessem contribuir em benefício das propostas cristãs e doutrinárias outras que vieram da Europa civilizada. Certamente, disputas religiosas haviam estalado, muitas vezes, gerando conflitos lamentáveis e até sangrentos, decorrência natural da intolerância dos indivíduos, desde quando todas as religiões preconizam o amor e a fraternidade, o entendimento entre as criaturas e o avanço na direção de Deus.

Infelizmente ainda proliferam preconceitos, intransigência religiosa e o fanatismo entre as criaturas, que preferem a distância do seu próximo à amizade geradora de simpatia e de cordialidade, que promovem a fraternidade e estabelecem o bom entendimento.

Constituem, porém, exceções que o tempo diluirá com a sua contribuição de eternidade, efeito próprio do processo de evolução dos Espíritos. Por essa razão, antropólogos, psicólogos e teólogos se reuniam no Departamento dedicado às religiões para estudar os melhores métodos de integração dos diferentes fiéis com as suas convicções na sociedade dominante, evitando-se choques e distúrbios infelizes naqueles turbulentos dias do passado.

Ademais, no século XIX, enquanto se aguardava o surgimento do Espiritismo, cuja mensagem deveria criar raízes no Brasil, estudou-se longamente, na comunidade, qual seria a maneira mais eficaz de implantá-lo na região sob sua inspiração, onde fosse possível reunir os militantes das diversas doutrinas espiritualistas sob a bandeira da Era Nova, ampliando-lhes as perspectivas do entendimento em torno da vida e dos objetivos essenciais da existência humana em sua inexorável marcha para Deus.

Realmente, os resultados não podiam ser melhores, porquanto, nós próprios, que militáramos no Movimento Espírita nos anos praticamente ainda considerados como de pioneirismo, embora as dificuldades compreensíveis, não enfrentamos embates perversos, ficando as dissidências mais nos conteúdos teóricos e nas discussões filosóficas do que mesmo nas perseguições insanas e destruidoras, embora surgissem, vez que outra, promovidos por fanáticos e desorientados emocionais.

Recordava-me de como facilmente se integravam africanistas, católicos, esoteristas e outros que já possuíam tradição mediunista em razão dos fenômenos observados entre as multidões no Movimento Espírita, a fim de adquirirem os conhecimentos lógicos que o Espiritismo a todos nos oferece, para serem equacionadas as interrogações que pairavam nas mentes inquietas.

Estudiosos de outras doutrinas igualmente se interessavam por tomar conhecimento com *O Consolador*, aceitando-lhe os paradigmas com tranquila compreensão da sua legitimidade e incorporando-os às suas convicções espiritualistas.

Graças a essas providências, surgiu um *caldo de cultura* religiosa especial, no qual os seus membros se tratavam e ainda se relacionam com respeito e simpatia, nutrindo especial fraternidade e consideração.

Espíritos nobres, que vieram dessa Colônia, renasceram nessas plagas vinculados ao Espiritismo, que souberam difundir com elevação e dignidade, deixando pegadas luminosas, que serviram de roteiro para outros que viriam posteriormente, conforme sucedeu.

Concomitantemente, diversos sacerdotes do amor e da caridade reencarnaram-se também em outras doutrinas religiosas, a fim de combaterem a miséria moral e espiritual existente, trabalhando em favor da renovação social e da construção de uma mentalidade sem preconceitos nem espírito de sistema.

Artistas de variados campos da beleza e da cultura igualmente foram encaminhados ao corpo físico, para contribuírem em favor da renovação do povo, no qual os descendentes dos africanos se tornaram maioria, para que igualmente oferecessem as mensagens ancestrais em forma de louvor à vida e através dos seus sentimentos e saudades...

Não obstante, as heranças da escravidão negra, as arbitrariedades anteriores de governantes inescrupulosos e vândalos exploradores quão perversos oriundos do além--mar, que se estabeleceram na então colônia de Portugal sob o amparo de religiosos destituídos de dignidade cristã, geraram lamentáveis dívidas morais para expressiva multidão de vítimas, que reencarnaram e desencarnaram sob os camartelos do ódio e da vingança, da revolta surda e do desejo de revide pelo mal que padeceram.

Por outro lado, os testemunhos morais de antigos jesuítas abnegados como Manoel da Nóbrega, Azpicuelta Navarro e muitos outros diminuíam na Esfera espiritual inferior as refregas inglórias dos combates do desespero, facultando que incontáveis apóstolos do bem viessem a operar no terreno da fraternidade, para dirimir e anular os efeitos nefastos dos renhidos desforços gerados pelo rancor e pela inferioridade moral que predominavam nos seus combatentes.

Seria de compreender-se que o clima psíquico, nesse campo de batalha, favorecesse a instalação de obsessões cruéis e renitentes, transformando-se em quase epidemias periódicas, que faziam sucumbir os invigilantes, sem que ao menos se dessem conta da própria responsabilidade no desfecho nefasto das suas empresas maléficas.

O Espiritismo, portanto, teria um papel de alta relevância a desempenhar nessa sociedade comprometida e assinalada pelos efeitos danosos das atitudes desvairadas, conforme vem ocorrendo com segurança, cumprindo a sua missão de *Consolador* Prometido por Jesus.

A comunidade espiritual, portanto, programara também o nascimento de inúmeras instituições devotadas à sociedade sob a bandeira do Espiritismo Cristão, de forma que se transformassem em escolas de educação moral e espiritual, como também de oficinas promotoras de ações enobrecidas, tanto quanto se fizessem ambulatórios dedicados à saúde física, mental e comportamental que os desvarios obsessivos ultrajavam.

Vinculado a esses operários da fraternidade e do amor, mantínhamos pessoalmente ligações especiais com uma dessas colmeias espíritas, onde milhares de pessoas encontram educação, apoio e socorro, conforto moral e orientação para as suas aflições, bem como instruções libertadoras para os dramas e conflitos que as desorientam.

Inúmeros trabalhadores da nossa colônia reencarnaram-se especialmente para ali servirem sob a inspiração da mártir da Independência e do venerando Francisco de Assis.

Nas suas reuniões práticas e de desobsessão recebem atendimento e são tratados inúmeros Espíritos comprometidos com a retaguarda e que antes se compraziam na tenaz perseguição avassaladora contra os seus antigos algozes.

O intercâmbio entre as duas esferas, desse modo, tornou-se natural e espontâneo, graças às luzes fulgurantes da Doutrina Espírita, abrindo espaço para a Era do amor entre as criaturas.

2
O PODER DA ORAÇÃO

Quando o ser humano se aperceber das infinitas possibilidades de que dispõe através da oração, conceder-lhe-á mais atenção e cuidados.

Força dinâmica, responsável pelo restabelecimento de energias, é constituída de vibrações específicas que penetram o orante, mantendo-lhe a vinculação com as Fontes Inexauríveis de onde procedem os recursos vitais.

Em razão da intensidade e do hábito a que o indivíduo se permita, torna-se valioso instrumento para a conquista da paz e a preservação da alegria, nele instaurando um estado de receptividade permanente das vibrações superiores que se encontram espalhadas no cosmo, preservando-lhe a saúde, gerando-lhe satisfação íntima e proporcionando-lhe inspiração nas mais variadas situações do caminho evolutivo.

Como consequência, nenhuma louvação, rogativa ou gratidão expressa através da prece fica sem resposta adequada, desde que os sentimentos acompanhem-lhe o curso oracional.

Naquela noite de caras reflexões, eu me encontrava aguardando o momento para atividades especiais ao lado de abnegados mensageiros que fazem o intercâmbio com os

Espíritos encarnados na Terra, ajudando-os na desincumbência dos compromissos a que se dedicam.

No momento aprazado, que corresponderia às 2 horas da manhã, reunimo-nos no local reservado para a partida em direção do mundo físico.

Éramos pequeno grupo formado por amigos interessados na construção da lídima fraternidade e do estudo dos fenômenos obsessivos, que constituem a rude peleja entre a ignorância e o crime, a perversidade e a vingança, a loucura desmedida e a necessidade de paz, que somente pode ser obtida quando utilizados os meios legítimos, que são o respeito ao próximo e a desincumbência dos próprios deveres.

A modesta caravana estava sob a orientação do irmão Anacleto, que fora espiritista militante e se dedicara com especial empenho ao labor mediante as terapias da Doutrina em favor da saúde mental e emocional das criaturas humanas, particularmente quando afetada pela interferência dos Espíritos obsessores.

Portador de formosa folha de serviços enquanto esteve no corpo somático, havia granjeado merecido respeito em ambos os planos da vida, pela sua abnegação, carinho e conhecimento profundo em torno da grave *parasitose* espiritual.

Reunidos em agradável sala de amplo edifício reservado para excursões ao planeta terrestre, mantínhamos a privacidade dos nossos objetivos, preservando muito reconfortante fraternidade, enquanto aguardávamos o momento de iniciar-se a jornada.

O benfeitor, utilizando-se de momento próprio, expôs-nos o plano que houvera traçado para o atendimento a algumas pessoas que se encontravam em singular circunstância das suas existências sob influências perniciosas que as dilaceravam, e, não obstante, recorriam com frequência e quase desespero à oração, suplicando a ajuda dos Céus, que lhes parecia tardar.

Demorar-nos-íamos por alguns dias em nossos labores, havendo elegido como sede de ação, o Núcleo Espírita a que nos referimos anteriormente, onde seria possível operar com o apoio mental e das vibrações salutares em favor do êxito do empreendimento.

Sensibilizados ante a possibilidade do serviço em tela, mantínhamos a serenidade que deve ser preservada sempre.

Acercando-se o momento da partida, o diretor do grupo convidou-nos à oração, que ele próprio proferiu tocado de especial emoção:

– *Senhor Jesus, Amigo dos desafortunados!*

No momento em que nos preparamos para mais uma experiência socorrista em Teu nome, exoramos a Tua proteção, a fim de que possamos manter a plena sintonia com os Teus propósitos de amor, realizando o melhor que nos esteja ao alcance.

Sabemos que não será fácil a tarefa por executar, considerando as nossas limitações e deficiências. Nada obstante, confiamos na Tua inspiração e apoio, de modo que nos seja permitido executar o serviço com os mais santos propósitos de fraternidade e de amor, conforme Tu mesmo o realizaste quando estiveste conosco no planeta.

Mantém-nos confiantes na irrefragável Misericórdia do Pai e dulcifica-nos, para que possamos sensibilizar aqueles Espíritos que ainda não Te conhecem, ou que, tendo travado contato contigo, afastaram-se, revoltados e infelizes, negando-se à vinculação com o Teu inefável amor.

Semelhantes a eles, já estivemos em situação equivalente, e Tu nos arrancaste das sombras e dos abismos a que nos arrojamos, equipando-nos de conhecimentos e de sentimentos para modificarmos a estrutura íntima de que somos constituídos.

Faculta-lhes, também a eles, a mesma concessão com que nos honraste, utilizando-Te de nossa pequenez colocada em Tuas seguras e generosas mãos.

Ampara-nos em todas as situações, enriquecendo-nos de inspiração e de caridade, para que sempre sejas Tu quem estejas presente e não nós, eliminando o nosso ego para que Te exaltemos o Espírito magnânimo e misericordioso.

Segue, pois, conosco, Amigo de todas as horas.

Ao concluir, estava com a voz embargada, e todos nos encontrávamos tocados de especial emotividade.

Explicou-nos o condutor da empresa que, inicialmente, iríamos atender a um jovem sacerdote que se encontrava em momento muito grave da sua existência, lutando com tenacidade contra as tendências infelizes do passado, que o assaltavam agora com pertinaz incidência. Embora forjado em sentimentos humanitários e cristãos, perdia lentamente as forças na imensa pugna travada contra as más inclinações que lhe predominavam no íntimo e porque também estava sob indução espiritual perversa e perigosa.

Quando chegamos ao local em que deveríamos iniciar as atividades socorristas, encontramos um jovem religioso mergulhado em terrível conflito interior. Não obstante se encontrasse ajoelhado, orando em desespero, o seu pensamento turbilhonado, exteriorizava imagens atormentadoras de que se desejava libertar.

Aparentava trinta anos de idade, era portador de boa constituição orgânica e apresentava-se com harmonia física e mesmo alguma beleza nos traços que lhe delineavam a face.

Acercando-me, ouvi o benfeitor sugerir que lhe penetrasse o campo mental, de modo a registar os seus apelos aflitivos, inteirando-me do conflito que o assaltava, levando-o a inevitável desesperação.

As emanações mentais eram carregadas de imagens infantis escabrosas e cenas de perversão sexual com crianças nos seus aspectos mais chocantes. Entre sombras densas, que lhe dominavam as reflexões, destacavam-se a promiscuidade sadomasoquista e aberrações outras que o pareciam satisfazer ao tempo que o afligiam de maneira especial.

Percebendo-me a perplexidade, o irmão Anacleto veio em minha ajuda, elucidando-me:

— *O nosso Mauro é um jovem que buscou a religião sem qualquer inclinação legítima, tentando fugir dos tormentos que o sitiam desde a adolescência. Sentindo-se dominado pelo desvario das tendências sexuais infelizes procurou refúgio na religião, na qual poderia esconder-se e deter os desejos infrenes que o aturdem, buscando o Seminário onde pensava disciplinar os instintos e corrigir as más inclinações. Infelizmente não foi bem sucedido, porquanto, no lugar onde esperava encontrar paz e orientação, defrontou-se com diversos companheiros portadores de desequilíbrios equivalentes, que também buscavam a fuga ao invés do enfrentamento, resvalando, a pouco e pouco, para comportamentos esdrúxulos e insanos.*

Silenciou por um pouco, e logo prosseguiu:

— *Concluindo o curso, e sendo ordenado sacerdote, a princípio tentou manter-se distante dos hábitos doentios, procurando exercer o ministério com atitudes saudáveis. Todavia, lentamente o cerco das paixões se fez inexorável, e com o contato com alguns veículos de informação, especialmente a televisão, foi-lhe quase impossível deixar de anestesiar-se outra vez pelas sensações grosseiras dos desejos incoercíveis. Foi-se permitindo arrastar pelos programas vulgares, recheados de paixões e vilanias, embriagando-se com as cenas portadoras de obscenidades e aberrações, passando à convivência mental com outros insensatos e enfermos morais, utilizando-se de fotografias para prosseguir no tormento que ora o despedaça interiormente.*

Ante a pausa natural, que me pareceu oportuna, ensejou-me interrogá-lo, o que fiz naturalmente.

— *Pude perceber* — acentuei, surpreso — *que o seu drama íntimo envolve crianças e alguns jovens imaturos, que se rebolcam nas suas paisagens mentais entre sombras e cenas de hedionda qualidade. Qual a razão dessas manifestações do seu pensamento atormentado?*

Generoso e sábio, o amigo explicou:

— *O drama do nosso paciente tem suas raízes na pedofilia, desequilíbrio moral e sexual, hoje muito difundido pelos infelizes vendedores de sexo, a prejuízo da saúde e da dignidade de inúmeros psicopatas e perversos. Saturados pelos excessos sexuais que se permitem, procuram novas experiências aberrantes e cruéis, utilizando-se de crianças indefesas e ingênuas para o triste mercado das suas vilezas.*

Por outro lado, pais inescrupulosos e de conduta esquizofrênica, igualmente ambiciosos e cruéis, alugam seus filhos para o comércio ignóbil, no qual adultos totalmente inescrupulosos e destituídos de sentimentos dignos, delas se utilizam para dar vazão às suas tendências mórbidas, esfacelando essas vidas em floração, que se estiolam, desde cedo, tornando-se, aquelas que sobrevivem, cínicas e depravadas, sem nenhum objetivo existencial, exceto a luxúria para ganhar dinheiro e manter o vício, logo derrapando no uso das drogas alucinantes e destruidoras.

O nosso Mauro encontra-se envolvido com uma gangue pornográfica que lhe exige mais crianças para o comércio desnaturado, considerando-se a facilidade de que ele dispõe no convívio infantil, em face da sua condição de religioso... Igualmente viciado, instalou um pequeno estúdio no qual fotografa e grava cenas hórridas com desprevenidas vítimas que arrebanha, a princípio iludindo-as com guloseimas e pequenos presentes, para depois viciá-las e utilizá-las abertamente no mercado da crueldade.

Novamente silenciou, como a concatenar informações preciosas, para prosseguir de imediato:

— *Vinculado a terrível organização espiritual jesuítica do passado, quando cometeu arbitrariedades contra criaturas tidas como inimigas e silvícolas que lhe tombaram nas garras ignóbeis, que deveriam evangelizar, ainda não conseguiu libertar-se desses comparsas, que hoje prosseguem inspirando-o na situação calamitosa em que se encontra. Outrossim, em razão de arbitrariedades morais cometidas no século XIX, experimenta o atual tormento. Entretanto, inspirado pela genitora desencarnada, que o acompanha com imenso sofrimento, nos últimos tempos, percebendo o abismo cada vez mais devorador que o traga, vem recorrendo à oração, pedindo misericórdia e ajuda, por não mais suportar a própria insânia. A fé ingênua da infância, que o cinismo do comportamento tisnou, vem-lhe retornando à mente, de forma que, tomado de sincero desejo de ter diminuídas as angústias, cada dia mais sincera se lhe torna a súplica, que chegou até os nossos Centros de Comunicação Oracional, graças a cuja diretriz aqui nos encontramos.*

Sempre ávido de conhecimentos, utilizei-me do novo ensejo para interrogar:

— *Reconhecendo-se a deficiência de comportamento do nosso paciente, os seus graves delitos pretéritos, poderemos considerar os conflitos sexuais do momento como efeitos da conduta infeliz de outrora ou como uma obsessão, já que não identifico qualquer Entidade específica à sua volta?*

Exteriorizando bondade e paciência, o instrutor esclareceu:

— *Estamos diante de uma resposta da vida aos atos clamorosos perpetrados anteriormente pelo nosso amigo. É natural que, havendo desconsiderado as Leis que estabelecem o respeito, o amor e o dever para com o próximo, hoje sofra os conflitos e as perturbações que lhe constituem mecanismo de depuração dos gravames cometidos. Ao mesmo tempo, algumas das suas vítimas cercam-no de vibrações deletérias e odientas, inspirando-o nas tendências doentias, a fim de mais o afligirem, ao mesmo tempo que o alucinam e estarrecem ante os próprios absurdos gerados pela mente em desalinho. Sempre há cobrador, quando existe devedor na pauta dos processos atuais de evolução do planeta terrestre e dos seus habitantes.*

Examinando com atenção o enfermo que orava em desespero, estorcegando-se na consciência culpada pelos excessos cometidos e quase arrancando os cabelos em ato de deplorável inconsciência, o orientador concluiu:

— *Os seus adversários espirituais encharcam-no de ideias pervertidas e desejos lúbricos insaciáveis, desvairando-o. Fixando-se-lhe nos painéis mentais, telecomandam-no a distância, e quando se desprende pelo sono físico é atraído ou arrebatado para os sítios de vergonha e de depravação, nos quais mais se acentuam os desbordamentos da paixão insana.*

Naquele momento, vimos acercar-se do jovem sacerdote um Espírito de aspecto feroz e asselvajado, com muitas anomalias na forma em que se apresentava, que o examinou detidamente, e, após gargalhar zombeteiro, escarneceu-o com palavras vulgares, em razão do anseio da vítima em buscar libertar-se do cerco em que se debatia através da oração.

Ouvimo-lo, então, exclamar, exprobrando-o:

— *Por que buscas Deus, miserável, em nome de Quem te escondes para dares prosseguimento aos teus anseios degenerados? Pensas que Ele te atenderá ou socorrerá àqueles aos quais mutilas moralmente e infelicitas? Quanto cinismo! Orar, como se a prece te pudesse ajudar nesta conjuntura, senão para encontrares mais* gado *para o nosso* matadouro! *Mudemos de atitude e vamos ao prazer.*

Assumindo uma posição de sicário, ergueu um chicote que trazia numa das mãos e aplicou sibilante golpe nas costas do desesperado.

Naquela postura de desequilíbrio, as palavras desconexas que exteriorizava não mais constituíam uma prece, mas refletiam o estado de perturbação que se lhe vinha sendo quase habitual, embora a intenção inicial fosse de encontrar paz e a libertação do drama excruciante.

O jovem padre experimentou uma estranha sensação, e, à medida que os golpes se repetiram, enquanto o adversário o fixava no *chakra coronário* com olhos em brasas, expressando o ódio que o acometia, foi-se-lhe acentuando a percepção e, logo depois de alguns breves minutos, passou a sentir o acicatar das dores que aumentavam enquanto o chicote repetia os golpes, atirando-se, por inteiro, no solo, entrando em delírio de torpeza sexual, no qual se misturavam gemidos e gritos surdos, sob o delirar da mente excitada pelos clichês vulgares que lhe eram habituais.

Entrando em exaustão, cessada a aplicação da sova inusitada, estertorou por um pouco, e entrou em pesado sono agitado, até que se libertou do corpo envolto em densa névoa escura, sendo surpreendido pelo algoz que o segurou com vigor, arrastando-o do recinto com grosseria.

O corpo tombado continuava com leves estremecimentos e uma baba pegajosa escorria-lhe da boca retorcida como se houvesse sido acometido por uma crise epileptiforme.

Não podíamos esconder o sentimento de compaixão que nos tomou a todos, bem como de surpresa que se me assomou, dominando-me o pensamento.

O instrutor, que se encontrava familiarizado com a ocorrência, convidou-nos a que seguíssemos os dois litigantes, que rumavam para um recinto espiritual de perversão e deboche em que se comprazian.

Enquanto nos movimentávamos nessa direção, indaguei com respeito:

– *As orações, embora expressando desespero, atingem o nosso Departamento de captação?*

– *É claro que sim* – respondeu, generoso. – *Todo apelo que procede do coração, mesmo quando as possibilidades emocionais não permitem melhor entrosamento entre o sentimento e a razão, atingem o fulcro para o qual é direcionado. Nosso Mauro, depois de delinquir, inspirado pela mãezinha, conforme já acentuamos, dá-se conta do caminho sem volta por onde segue e, na falta de alternativa, vem buscando o concurso do Céu, apesar dos clamorosos erros que prossegue cometendo sob a guarda da fé religiosa na qual se oculta.*

— E o sarcasmo do seu comparsa em relação a essa atitude, conforme vimos, teria razão para fundamentá-lo?

— De forma alguma — esclareceu, bondoso. — O antagonista sabe que o seu paciente poderá fugir do seu comando, caso continue na busca de Deus. Para atemorizá-lo e anular-lhe a inesperada disposição, critica-o, zurzindo-lhe o látego, cujo açoite vibratório faculta-lhe o prazer masoquista que a mente desorientada cultiva.

Nenhuma solicitação ao Pai Amantíssimo fica sem resposta, seja qual for a natureza do seu conteúdo, recebendo-a de acordo com o propósito de que se reveste.

Sigamos os nossos irmãos.

3
A COMUNIDADE DA PERVERSÃO MORAL

Embora não pudéssemos ver Mauro e o seu adversário que seguiam para ignota região, o irmão Anacleto conduziu-nos com segurança para o perímetro fora da cidade, em vasta área pantanosa e sombria, que certamente conhecia, e de onde recendiam odores pútridos e uma gritaria infrene enchia a noite com blasfêmias, expressões chulas e sórdidas, gargalhadas estentóricas, movimentação agitada...

O cuidadoso guia advertiu-nos que estávamos adentrando em uma comunidade totalmente dedicada à perversão sexual, dirigida por implacáveis sicários da Humanidade, que ali reuniam o deboche à degradação, o cinismo à rudeza do trato, onde encontravam inspiração muitos indivíduos reencarnados e dali procedentes na área da mórbida comunicação social, da literatura doentia e da arte escabrosa para os seus espetáculos de hediondez e de degeneração moral.

Reduto imenso, criado pelas emanações morbíficas das próprias criaturas da Terra, que para lá seguiam por imantação magnética opcional, quando parcialmente desprendidas pelo sono físico, constituía um sorvedouro de paixões primárias que, no passado, destruíram culturas e civilizações, qual está acontecendo no presente com grande parte da nossa sociedade.

Quando irrompem o deboche e a insensatez, o desvario do sexo e dos compromissos morais nos grupamentos sociais, a ética, a cultura e a civilização tombam no desalinho, avançando para o descalabro e a servidão.

Tem sido assim através dos tempos e, por enquanto, ainda parece que se demorará por algum tempo, até quando o ser humano se resolva por absorver os compromissos elevados e os deveres dignificadores da vida na pauta das suas existências. A consciência de si mesmo, a responsabilidade perante o seu próximo e a mãe Natureza, nunca devem sair da linha da conduta humana, pois que nisso residem as aspirações máximas do Espírito para a conquista da beleza e da plenitude.

Torna-se-me muito difícil descrever o local e o ambiente de festiva degradação com as suas personagens, participantes que, exaltados, formavam a grande massa deambulante e movimentada em todos os lados.

A tonalidade avermelhada da iluminação, que fazia recordar os archotes fumegantes do passado, colocados em furnas sombrias para as clarear, produzia um aspecto terrificante no ambiente que esfervilhava de Espíritos de ambos os lados da vida em infrene orgia de alucinados.

Podia-se perceber que Espíritos vitimados por graves alterações e mutilações no perispírito misturavam-se à malta desenfreada na exaltação do sexo e das suas mais sórdidas expressões.

Sexo e obsessão

Figuras estranhas, com aspecto semelhante aos antigos seres mitológicos do panteão greco-romano, confundiam-se com muitos outros indivíduos extravagantes em complexas *simbioses* de vampirismo, carregando-se uns aos outros, acompanhando freneticamente um desfile de carros alegóricos, que faziam recordar os carnavais da Terra, porém apresentando formatos de órgãos sexuais disformes e chocantes, exibindo cenas de terrível horror, espetáculos de grosseira manifestação da libido, nos quais se mesclavam apresentações de conúbios sexuais entre animais e seres humanos deformados sob o aplauso descontrolado da massa desnorteada.

Decorando os peculiares veículos, homens e mulheres se apresentavam com aspecto de cortesãos que ficaram célebres pela baixeza de caráter, exibindo-se de maneira servil e provocando galhofas de uns e desejos de outros em uma terrível mescla de animalidade soez.

Aquele circo de hediondez apresentava em cada momento novos e agressivos quadros, enquanto se exibiam sessões de sexo grupal ao som de música estridente e desconcertante, que mais açulava os apetites insaciáveis dos comensais da loucura.

O antro asqueroso dava-me a ideia de ser o mundo inspirador de alguns espetáculos da Terra, que ainda não atingiram aquele nível de vileza, mas que dele se vêm aproximando, especialmente durante a apresentação de alguns dos turbulentos e torpes desfiles de Carnaval.

Sim, era naquela região que se inspiravam muitos multiplicadores de opinião, que ainda insistem na liberação total dos costumes vis, como se já não bastassem o sexo explícito e vulgar, a violência absurda, a agressividade sem limites, a luxúria desmedida, o cinismo odiento, o furto desbragado, o desrespeito a tudo quanto constitui a dignidade humana, descendo a níveis já insuportáveis...

De quando em quando, aparentando a postura de guardadores da comunidade horripilante, verdadeiros espectros humanos semi-hebetados, conduzindo mastins de grande porte, vigiavam a população, contra a qual atiçavam os ferozes *animais*.

Telepaticamente o nobre mentor advertiu-nos para que mantivéssemos cuidados especiais com o pensamento elevado ao Supremo Amor, sem crítica ou observações descaridosas em relação ao que víamos, a fim de não sermos surpreendidos por esses vigias terrificantes.

Num dos quadros dantescos, pudemos defrontar diversos Espíritos reencarnados, que seguiam jugulados aos seus algozes, presos a coleiras como se fossem felinos esfaimados, babando ante o espetáculo que lhes aguçava os instintos grosseiros. Entre outros, encontrava-se Mauro com o seu sicário, que dele escarnecia e o amedrontava, enquanto, debatendo-se, para liberar-se da retenção e atirar-se no vulcão de asquerosa sensualidade, urrava em deplorável aspecto.

Observamos que crianças despidas em atitudes obscenas decoravam o carro exótico, gritando e movimentando-se sensualmente, inspirando mais compaixão do que outro qualquer sentimento. Acurando, porém, a visão, surpreendemo-nos ao constatar que se tratava de anões cínicos, apresentando-se como criaturas infantis, assim despertando os viciados em pedofilia a terem mais acicatados os seus impulsos grosseiros.

A bacanal, com as suas aberrações, alongou-se, na sucessão das horas, até quando os primeiros raios do amanhecer penetraram a névoa densa, fazendo diminuir o desfile horrendo e a movimentação foi desaparecendo até ficar o ambiente, com a sua pesada psicosfera pestífera, quase vazio, exceção feita aos vigilantes e seus *animais* em contínua atividade.

A esdrúxula sociedade ali residente seguiu no rumo das suas furnas e mansardas, a fim de continuar na exorbitância dos sentidos torpes, terminado o desfile que se repetia todas as noites...

O irmão Anacleto convidou-nos mentalmente a segui-lo, afastando-nos tão discretamente quanto nos adentráramos no dédalo infernal, aturdidos e algo asfixiados, até nos acercarmos de formosa praia que se dourava à luz solar e recebia os primeiros raios do Astro-rei como bênção de luz após a noite ensombrada no reduto em que estivéramos.

O odor do haloplancto que vinha do mar renovava-nos, tanto quanto o *prana* da Natureza em bênçãos de vitalização restaurava-nos as forças momentaneamente alquebradas pelos fluidos morbosos da comunidade de perversão.

Sem que enunciássemos alguma interrogação, embora o grande número delas que bailavam na mente, o mentor gentil, utilizando-se da beleza natural do dia em começo, elucidou-nos:

– *O recinto infeliz onde estivemos é mantido e dirigido por alguns verdugos da Humanidade, que se nutrem dos pensamentos perversos e lúbricos dos seres humanos, que sustentam, dessa forma, a estranha coletividade que ali se homizia e que, longe de qualquer ambição idealista ou espiritualizante, reencarna-se no mundo físico trazendo as imagens das experiências vivenciadas, procurando materializá-las posteriormente entre as demais criaturas.*

Muitos desses Espíritos, ora no corpo físico, são encontrados no mundo físico realizando espetáculos chocantes, vivendo em verdadeiras tribos *de promiscuidade primitiva, vestindo-se e assumindo posturas caricatas e ridículas, de que se não conseguem libertar facilmente. Tornam-se, assim, representantes do curioso* país *espiritual de onde procedem e, telementalizados pelos que lá ficaram, fazem-se verdadeiros propagandistas da orgia despudorada, tentando arrebanhar mais vítimas para a bacanal da extravagância.*

Após uma breve reflexão, deu prosseguimento:

— Não são poucos os indivíduos que sentem a atração para o mal, para o vício, para as tendências ancestrais e permanecem receosos, vivendo o claro-escuro da decisão a tomar.

Subitamente, porém, enveredam pelos escusos caminhos da morbidez e do escândalo, assumindo comportamentos que envilecem em atitude de desrespeito aos valores morais e sociais vigentes, logo se transformando em líderes e modelos singulares.

Invariavelmente são arrebanhados por esses representantes perversos que lhes influenciam a conduta, demonstrando-lhes a necessidade de serem assumidos exteriormente os conflitos e torpezas interiores, a fim de experienciarem a liberdade e o direito de viver conforme lhes apraz. Demonstram uma alegria que estão longe de possuir, um cinismo que, em verdade, é a máscara que esconde as aflições quase insuportáveis que os transtornam, porém, insensatamente, vinculando-se a esses campeões do desequilíbrio, tombam-lhes nas redes bem urdidas do prazer, não conseguindo desvincular-se deles com facilidade.

Somente através das dores excruciantes, das enfermidades dilaceradoras, das angústias morais que os assaltam é que, encon-

trando orientação e compaixão, liberam-se das amarras fortes do mal em predomínio. A grande maioria, porém, desencarna durante esse comportamento doentio e quase todos são arrastados para o sórdido campo de luxúria, sofrendo por decênios e mesmo séculos até o momento em que buscam a renovação e são socorridos por especialistas em libertação, que periodicamente visitam esses sítios de horror e de sofrimento irracional.

Novamente silenciou e, tomado de imensa ternura acompanhada de compaixão, deu prosseguimento:

– *A mente é sempre a construtora da vida, oferecendo a energia com a qual são condensados os anseios e as necessidades de todas as criaturas.*

O sexo, por sua vez, porque carregado de sensações e de emoções, quando vilipendiado e exercido com ignorância das suas sagradas funções, transforma-se em geratriz de tormentos que dão curso a outros vícios e alucinações, empurrando as suas vítimas para as drogas, o álcool, o tabaco, a mentira, a traição, a infâmia e todo um séquito de misérias morais que entorpecem os sentimentos e obnubilam a razão. Enquanto não houver um programa educativo baseado nas nobres finalidades da existência humana, cujo objetivo essencial é o progresso intelecto-moral, e não a utilização do corpo para o prazer e a leviandade, permanecerão equivocados os valores éticos, sendo utilizados pelo egoísmo para o gozo e a insensatez.

Vive-se, na Terra da atualidade, a exorbitância da lubricidade, da pornografia, da exibição das formas físicas direcionadas para o comércio da lascívia e da exploração.

A morte, porém, que a ninguém poupa, ao desvestir da carne os equivocados, abre-lhes a cortina da realidade, e todos se dão conta do alto significado da vida física e do respeito que merece dos aprendizes da evolução. Por enquanto, somente nos cabem as atitudes de compaixão e de solidariedade, de compreensão e de amor, porque os irmãos anestesiados pelo prazer, inconscientes do que lhes ocorre, aguardam ajuda e orientação fraternal para despertarem para a verdadeira alegria de viver. Nesse empreendimento, incluímos também os companheiros desencarnados que, com eles, se encharcam de sensações doentias.

Chegará o momento adequado, e todos nos deveremos empenhar por apressá-lo, quando luzir o pensamento de Jesus nas consciências humanas, em que o homem e a mulher compreenderão que o sexo existe para fomentar a vida e procriar, amparado por emoções enobrecedoras do intercâmbio de energias revigorantes, e não para o banquete asselvajado dos instintos e das sensações, desbordando em crimes e destruição da vida. Que possamos contribuir em favor desse momento, edificando-nos no bem e preservando-nos interiormente das ciladas do mal e das tentações perturbadoras.

Calou-se o nobre amigo, deixando-nos a refletir.

O dia luculiano estuava em festival de bênçãos demonstrando a vitória da luz sobre a treva, infundindo-nos confiança e coragem para a luta.

4
O DRAMA DA OBSESSÃO NA INFÂNCIA

Logo que foi possível, acorremos à casa paroquial onde residia Mauro, a fim de acompanharmos o seu despertar no corpo físico.

O jovem teve dificuldade de reassumir as funções mentais coordenadas. Terrível torpor assomara-lhe à consciência, dificultando-lhe o raciocínio lúcido. Dores musculares mortificavam-no, espalhadas por todo o corpo, enquanto expressiva debilidade orgânica se lhe apresentava dominadora.

Exalava fluidos deletérios através da expiração ao mesmo tempo que se encontrava envolvido nos *chakras coronário, cerebral* e *genésico* por densa energia que se evolava pastosa a princípio, desvanecendo-se paulatinamente.

Quase cambaleante buscou a ducha com água fria e banhou-se, tentando recuperar-se, o que de certo modo conseguiu parcialmente.

Logo após, sentando-se na cama, começou a refletir e coordenar as ideias, que lhe traziam à memória as terríveis lembranças das cenas bestiais da noite, que passou a considerar como registros do inconsciente sobre algo terrível que não conseguia compreender plenamente. O *pesadelo* assustou-o, quase o levando a um choque nervoso, por identificar a perigosa trilha que percorria, conduzindo-o a delírios exorbitantes qual o vivenciado fazia pouco.

Com muita dificuldade começou a orar. A prece era formulada em gritos interiores de desespero entre objurgatórias e pedidos de socorro aos Céus.

Interrogava-se, aturdido:

– *Que me estaria acontecendo? Os devaneios e atos reprocháveis estão-me conduzindo à loucura? Estarei sendo vítima de uma trama demoníaca? Quando irei parar no resvaladouro do crime hediondo que vivo praticando?*

Ante a reflexão, recordou-se do ser perverso que o jugulara, arrastando-o para o paul de misérias morais, e sentiu-se mais indisposto. A figura estranha e cruel retornou-lhe à memória, aparvalhante, como se lhe comandasse a mente em desalinho com um poder sobre-humano ao qual não se podia furtar.

O medo assenhoreou-se-lhe dos sentimentos e as lágrimas banharam-lhe o rosto desfigurado e pálido.

Só então pôde orar com mais serenidade, beneficiando-se do refrigério da prece.

Jamais qualquer pedido fica sem resposta ante os Soberanos Códigos da Vida.

O ambiente psíquico do quarto, possivelmente em razão das emanações habituais do residente vinculado aos desejos mórbidos, era deplorável. Entidades ociosas e viciadas ali permaneciam, umas em atitude de vigilância, enquanto outras se apresentavam como parasitas que se nutriam dos *vibriões* mentais e das *formas-pensamento* exteriorizadas pelo paciente infeliz.

Algo aturdido, em processo de recuperação, dirigiu-se ao refeitório para o desjejum.

Permanecendo na habitação empestada pelas ondas sucessivas de baixo teor vibratório, Anacleto convidou-nos a um trabalho de assepsia psíquica, a fim de que a ingestão continuada da psicosfera doentia, que sempre afetava mais o paciente, fosse modificada, diminuindo-lhe o transtorno emocional.

Concentrando-se, silenciosamente, o mentor exorou o auxílio divino, no que o acompanhei, incontinente, transformando-se, a pouco e pouco, em um dínamo emissor de ondas vigorosas e luminosas que se exteriorizavam, diluindo as construções fluídicas perniciosas e afastando as Entidades viciosas que ali se homiziavam. A operação prolongou-se por alguns minutos, enquanto podíamos ouvir os gritos e blasfêmias dos infelizes que eram expulsos pelas ondas mentais direcionadas pelo pensamento do nobre Espírito.

Ao terminar, tomando contato com o recinto, tive a impressão de que me encontrava num outro lugar, no qual o sol entrava gentil, completando a assepsia com os seus raios luminosos benéficos.

– *Acompanhemos o nosso amigo* – propôs-nos o trabalhador do bem.

Mauro havia terminado a refeição frugal, sem haver superado totalmente o mal-estar que o acometia. A mente continuava tomada por interrogações perturbadoras, o peito arfava sob peculiar fardo de sentimentos desencontrados, e a *consciência de culpa* acoimava-o sem piedade.

Cabia-lhe seguir ao educandário onde lecionava a crianças.

Normalmente, o pedófilo, a fim de ocultar os seus conflitos e tormentos sexuais, procura atividades respeitáveis que o ponham em contato com as suas futuras vítimas, de forma que não provoquem suspeitas em torno do seu comportamento. A própria perturbação torna-o muito hábil na arte da dissimulação, apresentando-o como pessoa gentil e dedicada, compreensiva e bondosa, que conquista os incautos. A camuflagem abre-lhe as possibilidades para os intentos infelizes que quase sempre se coroam de êxito temporário...

Por outro lado, pais invigilantes permitem que os seus filhos relacionem-se com adultos desconhecidos, demasiadamente generosos, permitindo-lhes convivência não acompanhada, que resulta em descalabro e perturbação. Isso, quando alguns dos genitores, igualmente desequilibrados, não se fazem os exploradores perversos da prole, que submetem aos caprichos degenerados da sua personalidade psicopata.

Há muito ainda para se aprender, debater e vigiar, em torno dos relacionamentos de adultos malvados com crianças inocentes e desprevenidas.

Chegando à escola, alguns colegas notaram a palidez quase mortal do professor, e comentaram-na, havendo recebido explicação de distúrbio gástrico que justificava o estado de indisposição assinalado.

A alacridade infantil, a movimentação dos alunos na direção das salas de aula produziram peculiar sensação no sacerdote que se sentiu estimulado, mudando de atitude mental e de disposição orgânica.

Parecia alimentar-se da vibração musical e da presença da infância.

Era um dia fascinante de luz e tudo respirava alegria. A Natureza em festa e a algazarra das crianças renovavam as forças debilitadas do jovem sacerdote.

Subitamente, porém, se lhe tisnou o júbilo ante a chegada de um menino de oito anos aproximadamente que se lhe acercou, sorridente e inundado de encantamento.

A mente de Mauro recuou à própria infância, e foi assaltada pela presença grosseira do genitor, que o acariciava e abusava da sua inocência, há algum tempo. Sem poder fugir às cenas interiores que o afligiam, desencadeadas pelo pequeno que lhe tocou a mão, beijando-a carinhosamente, ele se reviu no flagício que lhe fora imposto pelo pai desnaturado, começando a transpirar e a sentir disritmia cardíaca.

Sem nada perceber, o jovenzinho dizia-lhe palavras de ternura e de alegria por havê-lo reencontrado, o que mais o afligia, pois que os clichês mentais perversos eram liberados ante esses estímulos, levando-o quase a um transtorno emocional.

Tentando manter-se equilibrado, soltou a sua da mão do pequeno, e sorriu canhestramente, pedindo-lhe que o procurasse em outro momento, durante o intervalo para a merenda.

A criança disparou na direção de outro grupo infantil enquanto ele buscou abrigo sob generosa copa de árvore, para recobrar a serenidade.

No entanto, a imagem do pai continuou assaltando-o, e um estranho sentimento de ódio dominou-o por completo.

Conjeturou interiormente que fora o inditoso genitor quem o iniciara no tormento sexual que ora se lhe transformara em *cravo* perfurante nas *carnes da alma*, revolvendo-as quase sem cessar, levando-o ao não ignorado crime a que se entregava em busca de prazeres da sensualidade pervertida.

Ademais, pensava que era o caminho para a alucinação, porque sempre saía das infelizes experiências sem alegria, dominado pela culpa, exaurido de energias valiosas que tinha dificuldade em recuperar.

Ignorando totalmente a *parasitose* da obsessão de que também era vítima, não podia raciocinar com clareza e encontrar uma explicação capaz de acalmá-lo, acreditando-se ser um verdadeiro monstro, em face do descalabro a que se entregava.

Nesse comenos, o irmão Anacleto aproximou-se-lhe e aplicou-lhe energias restauradoras do equilíbrio, considerando que, naquele momento, as suas eram disposições de luta, de renovação e de busca do equilíbrio perdido.

Sentindo-se renovar, respirou aliviado e adentrou-se no educandário.

Saudado cordialmente pelos colegas de magistério, não mais deixava transparecer o conflito em que se debatia minutos antes.

Continuamos naquele recinto e, como era a primeira vez que tinha oportunidade de encontrar-me em uma escola para crianças, pude observar que todas eram acompanhadas por Espíritos, algumas felizes, e não poucas por Entidades cruéis que, desde cedo, intentavam perturbá-las, vinculando-se-lhes psiquicamente. Diversas podiam situar-se no diagnóstico de obsidiadas, tão estreito era já o conúbio mental entre os desencarnados e elas, que não pude sopitar o interesse de aprender mais, interrogando o caro mentor, que me observava com serenidade:

— *Sabemos que a criança é sempre um Espírito velho, que conduz muitas experiências evolutivas, embora a forma em que se apresenta. Não obstante, nesse período de infância sempre recebe maior apoio, a fim de que não haja prejuízos e impedimentos ao processo reencarnacionista que está empreendendo. Como se explicam, então, esses processos obsessivos que ora defrontamos?*

Com a sua cordial bondade, o orientador não se fez rogado, logo esclarecendo:

— *Não ignorássemos que a Misericórdia de Deus está presente em toda a Criação, e não seria o ser humano quem marcharia sem a necessária proteção para alcançar a meta que busca no seu desenvolvimento intelecto-moral. Todavia, sabemos, também, que muitos processos de obsessão têm o seu início fora do corpo físico, quando os calcetas e rebeldes, os criminosos e viciados reencontram suas vítimas no Além-túmulo, que se lhes imantam, nos tentames infelizes e de resultados graves em diversas formas de obsessões. A obsessão na infância muitas vezes é continuidade da ocorrência procedente da Erraticidade. Sem impedir o processo da reencarnação, essa influência perniciosa acompanha o período infantil de desenvolvimento, gerando graves dificuldades no relacionamento entre filhos e pais, alunos e professores, e na vida social saudável entre coleguinhas. Irritação, agressividade, indiferença emocional, perversidade, obtusão de raciocínio, enfermidades físicas e distúrbios psicológicos fazem parte das síndromes perturbadoras da infância, que têm suas nascentes na interferência de Espíritos perversos uns, traiçoeiros outros, vingativos todos eles...*

Olhando, em derredor, enquanto não se iniciavam as aulas, apontou uma menina loura de olhos claros e cabelos encaracolados com mais ou menos sete anos, que gritava, agredindo outra com palavras e gestos vulgares, quase aplicando-lhe golpes físicos. Parcialmente fora de si, foi retirada da cena chocante pela mestra, que nesse momento chegava e, repreendendo-a, conduziu-a para dentro da sala.

Dando curso à explicação, Anacleto continuou:

— *Aí está um exemplo. A pequenina, como podemos observar, é uma obsessa.*

No lar é tida como recalcitrante e teimosa, não obstante os castigos físicos que lhe aplicam os pais desinformados e confusos, por não entenderem o que ocorre com a filha que esperaram com imenso carinho e os decepciona.

Consultado um psicólogo, este anotara distúrbios de comportamento, que vem tentando solucionar, sem penetrar-lhes as causas, que lhe escapam por falta de conhecimento dessa parasitose espiritual. *No curso em que o processo vem recebendo atendimento, dar-se-á que, no futuro, essa criança venha a ser candidata a terapias muito violentas e inócuas em grande parte, em razão de elas alcançarem somente os efeitos, não erradicando a causa central. Os fármacos neurolépticos conseguem, muitas vezes, auxiliar os neurônios na execução das sinapses, bloqueando as interferências espirituais, porém por pouco tempo.*

— *E não terá ela* — voltei a interrogar — *a proteção do seu* anjo da guarda, *que contribua para impossibilitar a obsessão?*

— *É certo que sim* — respondeu, gentil. — *Sucede, porém, que os débitos contraídos são muito graves, e a Misericórdia Divina já vem amparando-a, sendo a reencarnação o melhor instrumento para a sua reparação. O processo, que se desenvolve sob as bênçãos da* Lei de Causa e Efeito, *culminará quando, certamente, a maternidade trouxer o adversário aos braços da sua antiga inimiga, selando com amor os propósitos para futuros conúbios de felicidade. Ninguém caminha a sós e, por isso mesmo, na conjuntura aflitiva em que a menina se debate, o seu Espírito protetor muitas vezes impede que seja arrastada pelo seu algoz para as regiões mais infelizes em que se situa, nos períodos do parcial desdobramento pelo sono físico, dificultando-lhe o domínio quase total que teria sobre as suas faculdades mentais e os seus sentimentos de afetividade e de comportamento.*

Procurando esclarecer-me mais em torno do drama da obsessão na infância, o benfeitor elucidou:

— *Inúmeros casos de autismo, quando detectados na primeira infância, procedem de graves compromissos negativos com a retaguarda espiritual do ser, que renasce com as marcas correspondentes no perispírito, que se encarrega de imprimir as deficiências que lhe são necessárias para o refazimento. Outrossim, aqueles que padeceram nas suas mãos cruéis acompanham-no, dificultando-lhe a recuperação, gerando situações críticas e mui dolorosas, ameaçando-o com impropérios e vibrações deletérias que não sabe decodificar, mas registra nas telas mentais, fugindo da realidade aparente para o seu mundo de sombras, isto quando não se torna agressivo, intempestivo, silencioso e rude...*

Calou-se, por um pouco, logo dando prosseguimento às informações:

— *Por uma natural Lei de Afinidade, os Espíritos renascem no mesmo grupo consanguíneo com o qual agrediram a ordem e desrespeitaram os deveres. Assim sendo, quando algum deles apresenta na infância a parasitose obsessiva, os seus genitores igualmente aturdidos não dispõem de recursos para os auxiliarem, utilizando-se da docilidade, da paciência, da compaixão, do fervor religioso, que sempre se contrapõem às aflições dessa natureza.* Desesperam-se com facilidade, aplicam castigos físicos e morais injustificáveis no paciente infantil, agravando mais a questão pelos resíduos que ficam nos sentimentos prejudicados, especialmente o ressentimento, o ódio, a antipatia, a consciência da injustiça de que foram objeto. À medida que atingem a maturidade e a idade adulta adicionam a esses transtornos íntimos a mágoa contra a sociedade que não lhes soube respeitar as aflições e mais as aguçaram com rejeição, críticas ásperas e desprezo...

A obsessão na infância é um capítulo muito expressivo para integrar a relação das psicopatogêneses dos distúrbios de comportamento e mentais, necessitando urgente atendimento especializado, desse modo facultando oportunidades para a recuperação do paciente, para a sua saúde, para o ressarcimento dos seus débitos através do bem que poderá fazer, ao invés do sofrimento que experimenta.

Logo após, reflexionando, adiu em feliz conclusão:

— *Quando luzir na Humanidade o conhecimento espírita e as sutilezas da obsessão puderem ser identificadas desde os primeiros sintomas, muitos transtornos infantojuvenis serão evitados, graças às terapias preventivas, ou minimizados mediante os tratamentos cuidadosos que o Espiritismo coloca à disposição dos interessados. No caso em tela, a terapêutica bioenergética, a sua participação nas aulas de orientação evangélica sob a luz do pensamento espírita, a água magnetizada e a psicoterapia da bondade, do esclarecimento, da paciência dos genitores libertá-la-iam da influência perniciosa, auxiliando--a a ter um desenvolvimento normal. Concomitantemente, porque em ambiente propício, os benfeitores da Vida maior poderiam também conduzir o seu desafeto ao tratamento es-*

piritual desobsessivo, alterando completamente o quadro em questão.

É claro que os débitos por ela contraídos em relação às Leis Cósmicas não ficariam sem a devida liquidação, mudando somente os processos liberativos, já que o Pai não deseja a morte do pecador, mas sim a do pecado, *como bem esclareceu Jesus, o Psicoterapeuta por excelência. Como o amor libera do* pecado, *todo o bem que viesse a realizar através da saúde comportamental e psíquica se lhe transformaria em recurso terapêutico, liquidando as dívidas e compromissos infelizes que lhe pesam na economia da evolução.*

Quando o instrutor silenciou, repassei mentalmente alguns casos de crianças neuróticas, autistas, com distúrbios neurológicos, superativas, que houvera conhecido na Terra e algumas que atendera particularmente, suspeitando da presença de Entidades perturbadoras que as afligiam ou pioravam o seu quadro orgânico, agora constatando que a epidemia da obsessão a ninguém poupa em período algum da existência física ou mesmo após a desencarnação.

Desde que haja *tomadas* receptivas, que são os desacatos às Leis Divinas, sempre existirão *plugues* para se lhes fixarem produzindo a *ligação* doentia e desgastante da obsessão.

Permanecemos algum tempo na escola acompanhando as atividades educacionais que ali se realizavam, quando o vigilante instrutor convidou-me a segui-lo em direção à sala de Mauro.

5
Conflito obsessivo

Ao adentrar-nos no recinto, deparamo-nos com uma cena dolorosamente chocante. A delicada criança que saudara o sacerdote havia poucas horas encontrava-se sentada sobre os seus joelhos, enquanto, emocionado e aturdido, o inditoso sedutor acariciava-a, falando-lhe palavras iníquas, que não eram alcançadas pela mente infantil.

Revendo-se, de alguma forma, sendo seduzido pelo próprio pai enfermo, começou a sentir-se estimulado e a perder o controle. A mente em desalinho disparava ondas de energia mórbida, que logo atraíram o sequaz desencarnado da véspera, que se lhe acercou truculento e vil, acoplando-se-lhe ao *chakra coronário* e imantando-se ao paciente a partir do hipotálamo e descendo pela medula espinhal...

O espetáculo tinha características truanescas, escandalosas, e a sala, com as cortinas cerradas num ambiente de semiobscuridade, facilitava a ocorrência absurda.

A criança, totalmente seduzida, sem noção da gravidade do ato vil que iria suceder, sorria ante as carícias do adulto, agora teleguiado pelo seu terrível obsessor, comprazendo-se os dois no intercâmbio fisiopsíquico, que lhes facultava o recrudescer das paixões mais primitivas. Lentamente o bafio pestilencial de ambos passou a envolver o menino, que não podia suspeitar da trama sórdida, quando se adentrou na sala a mãezinha desencarnada do pedófilo que, em lágrimas, solicitou a Anacleto que interferisse antes da execução de mais um crime.

O venerando amigo, compreendendo a gravidade do momento e dando-se conta da necessidade de uma terapia de emergência, cujos resultados fossem capazes de frear futuras crueldades, retirou-se do recinto e trouxe, telementalizada, a diretora do estabelecimento, que, estranhando o silêncio no ambiente e a porta cerrada, solicitou a uma auxiliar a chave mestra, com a qual, abrindo-a, surpreendeu o obsesso, segundos antes da prática do atentado ao pudor.

Tomada de espanto, e gritando, fez com que o indigitado parasse, trêmulo, procurando apresentar escusas para o ato vergonhoso, enquanto o obsessor, colérico e odiento, tentou agredir a mestra, que, amparada por Anacleto e captando-lhe o pensamento, conseguiu dominar-se, libertando a criança das garras do desequilibrado e impondo-lhe com severidade:

— *O assunto será tratado conforme convém em momento próprio. O senhor retire-se da escola, por favor, imediatamente!*

Tartamudeando, Mauro procurou justificar-se, elucidando que não havia nada além de um mal-entendido, já que ele e a criança eram muito afins, e não via motivo algum que, em verdade, justificasse a encenação do escândalo.

A senhora, visivelmente perturbada, segurou a criança no braço com energia, e, embora pálida, manteve a atitude de advertência, solicitando-lhe o afastamento imediato daquele lugar.

A providência radical operada pelo mentor fora a única maneira de deter a onda de crueldades que o sacerdote vinha praticando.

Atônito e envergonhado, Mauro afastou-se, quase cambaleante, sem forças para prosseguir na própria defesa, em face das evidências da sua conduta reprochável e cruel.

Logo se afastou do educandário, saiu, quase a correr, como se desejasse fugir de si mesmo.

Convidado pelo mentor, acompanhamo-lo, a fim de que fosse evitado outro tipo de crime, que seria o suicídio, já que o indigitado obsessor induzia-o à fuga da realidade, cuja trama o subjugaria por tempo indeterminado na sua região espiritual de obscenidades inimagináveis.

Enquanto isso, Anacleto solicitou, mentalmente, a cooperação de outro amigo espiritual, e logo se apresentou o irmão Dilermando, que foi encaminhado para inspirar a diretora, antes que ela assumisse uma conduta não conveniente para o momento, envolvendo a criança, seus pais e a escola em um escândalo perfeitamente dispensável. O assunto teria que ser tratado com cuidados especiais e com pessoas capazes de solucioná-lo, sem trazer sequelas morais para a criança e sua família, bem como para outros alunos não envolvidos no drama infeliz.

Chegando à casa paroquial, Mauro atirou-se sobre a cama e começou a soluçar, quase convulsionando, enquanto era inspirado ao autocídio pelo seu inimigo soez. Tremia como varas verdes e batia a cabeça na parede como se desejasse arrebentá-la, a fim de ver-se livre da pressão cruel de que se sentia objeto. Quase ardia em febre emocional que irrompera após o choque traumático...

A genitora desencarnada pôs-se a suplicar a Misericórdia do Pai Todo Amor para o seu filho doente, reconhecendo a gravidade do delito, porém, aguardando, senão o perdão, pelo menos uma nova oportunidade para a reparação dos dislates que vinham sendo praticados.

O irmão Anacleto acercou-se do infeliz e começou a aplicar-lhe a bioenergia no *chakra coronário*, desligando o obsessor, que se afastou ruidosamente blasfemando e ameaçando com impropérios nova urdidura de vingança, ao mesmo tempo que diminuía a capacidade de raciocínio e alucinação do atormentado jovem. Prosseguiu na ação fluídica, agora lhe distendendo energias relaxantes, que lhe diminuíssem a rigidez nervosa, a fim de o adormecer, retirando-o momentaneamente do *casulo* físico, de modo a prepará-lo para o enfrentamento das consequências que a sua sandice havia provocado.

Não demorou muito e Mauro desprendeu-se parcialmente do corpo, sendo carinhosamente recebido pela genitora e por nós outros.

Estavam estampados no seu rosto o horror e a vergonha, o desespero e o medo, não entendendo o que acontecia naquele momento.

Reconhecendo a mãezinha enternecida, atirou-se-lhe aos braços, qual criança assustada que busca apoio, e entregou-se às lágrimas de dor e angústia que lhe explodiam do peito.

A nobre senhora procurou acalmá-lo com palavras de ternura impregnadas de dúlcido amor, enquanto o infeliz se maldizia, acusando o genitor que o desgraçara emocionalmente.

– *Não acuses o teu pai* – propôs a Entidade gentil –, *procurando justificar um erro através de outro. Sem dúvida, a conduta do teu desditado genitor é perversa e infame, no entanto isso não se faz argumento para que te atires pela mesma rampa da alucinação, destruindo a esperança e a pureza de outras vidas que chegam ao teu regaço, buscando orientação e apoio. A fé religiosa que elegeste é filha do Calvário, havendo nascido dos lábios e da conduta de Jesus, quando preconizou o amor e a caridade, as bem-aventuranças e a misericórdia, nunca um valhacouto para que nele se homiziassem destruidores de existências infantis, que necessitam de exemplos de dignidade e honradez, para prosseguirem pela senda evolutiva.*

Parecendo coordenar as ideias, igualmente aflita como se encontrava, prosseguiu, severa, embora sem censura:

– *Como pudeste, filho amado, utilizar das tuas forças mentais e físicas para perturbar e desorganizar projetos espirituais materializados em vidas, que são encaminhados para os teus sentimentos? Onde colocaste o raciocínio e os valores morais, para perderes completamente a dignidade e desceres ao abismo das aberrações, utilizando-te dessas flores ainda não desabrochadas, que são as crianças? Como podes alucinar-te ante elas e feri-las mortalmente, a fim de dares vazão aos teus vícios e perplexidades? Onde tens colocado Deus e Seu filho Jesus? Como conseguiste expulsá-los da mente e do sentimento?*

– *Sou um monstro, mamãe* – gritou, estorcegando-se –, *que não merece sequer misericórdia, quanto mais o perdão. Não nego que conheço a gravidade do meu delito e que me debato na prece, procurando amenizar a volúpia insana que me toma com frequência. Mas não consigo libertar-me da sede maldita. Sinto-me arrastar cada dia para a parte mais profunda do abismo, sem esperança de retorno, asfixiando-me com sofreguidão no pântano a que me arrojo. Apiada-te de mim, tu que convives com os anjos dos Céus!...*

— *Sem dúvida, tenho-te buscado amparar* — explicou a senhora dedicada —, *mas vives surdo aos meus apelos. Os anjos do Senhor têm-te procurado proteger e resguardar-te da doença sórdida que te devora de dentro para fora, mas os impulsos inferiores que vitalizas com a mente em desalinho não te permitem escutá-los, e foges para o deboche, para as cenas de perversão que registras em películas para futuros gozos... As tuas horas, que deveriam ser de estudo, meditação, prece e caridade, como recomenda o Evangelho libertador, aplica-as em* viagens, *mantendo contato com outros atormentados como tu mesmo, intercambiando fotografias obscenas e películas devassas, nas quais as personagens são essas vidas em formação, que com eles arrebentais, nos tristes espetáculos de aberração e selvageria. Hoje, meu filho, soa o teu momento de retificação, de despertamento. A dor, que te dilacerará a alma, a partir deste momento, será também o teu salvo-conduto para novas experiências de reparação. Não temas o aguilhão, nem fujas do necessário resgate, seja qual for o preço que se te imponha. Agora ouve o que te orientará o benfeitor Anacleto, que veio, atendendo aos meus e aos teus rogos, para auxiliar-te.*

Mauro relanceou o olhar e deparou-se conosco, tomado de grande espanto. Recompôs-se, sentando-se no leito e, sem ocultar a vergonha que o dominava, continuou chorando em silêncio.

Anacleto, portador de grande sabedoria e com admirável tato psicológico saudou-o em nome de Jesus, conforme faziam os cristãos primitivos, e elucidou:

— *Todos procedemos do mundo de sombras dos instintos, adquirindo lentamente a razão, a fim de alcançarmos a angelitude distante, que nos aguarda. Essa jornada imensa e grandiosa é assinalada por dificuldades e desafios crescentes. Não é, pois, de estranhar, que muitos de nós nos demoremos na retaguarda, vinculados aos prazeres apaixonantes e escravizadores com os quais nos comprazemos. Etapa a etapa, experiência a experiência, adquirimos entendimento e compreensão dos deveres que, só vagarosamente, nos libertarão dos vícios longamente preservados. Somos efeito dos próprios atos, trabalhando para alcançar patamares mais elevados de virtudes e de santificação. Desse modo, encontras-te recolhendo a urze deixada pela estrada, que deves retirar, percorrendo-a novamente, agora a duras penas. O crime praticado vincula o seu responsável ao cenário onde aconteceu, e somente retornando ali é que o mesmo terá recursos para superar as consequências inditosas dele resultantes.*

Mauro estava surpreso. Ignorava completamente o que estava acontecendo. Em determinado momento, tomado de mais espanto, indagou, quase a medo:

— *Quem sois? Algum anjo julgador dos meus erros ou emissário divino para punir-me?*

— *Nem uma, nem outra coisa* — respondeu o generoso Espírito. — *Sou teu irmão, que vem em teu auxílio, atendendo as rogativas que dirigiste ao Senhor da Vida, qual vem fazendo tua genitora sofrida e ansiosa. Aqui estou, a fim de despertar-te para o dever que ficou esquecido, e para o ressarcimento dos gravames que têm sido praticados nas orgias da loucura e da perversão. Não te censuramos, menos te julgamos, porque também já transitamos pela Terra, conhecendo as armadilhas que nos retêm o passo e as dificuldades que se multiplicam, a cada instante, ameaçadoras. Não te espantes, portanto. Somos teus companheiros de jornada, mais vividos, é certo, porém, mais sofridos, mais confiantes em Deus.*

— Por que, então, a sina que me desgraça, este destino cruel que me consome, essa perturbação que me cilicia, se fui vítima de meu pai e sei quanto é cruel para uma criança a marca que lhe fica após o atentado ao seu pudor?

— Somos viajantes e sobreviventes de muitas marchas e procelas, nas quais assumimos comportamentos indesejáveis e crucificadores, que se repetem até que os superemos pelo amor que vem de Deus e teimamos em não levar em consideração. Esse estigma te segue, desde há muito, quando te entregaste a desmandos e desvarios sexuais, em ocasião que desfrutavas do poder transitório no mundo terrestre. Iremos fazer-te recordar algumas das cenas mais fortes que ficaram gravadas em teu mundo íntimo, e de onde procedem os males atuais que te aturdem. Repousa...

O corpo de Mauro se encontrava em sono profundo, enquanto, em espírito, era também adormecido, a fim de que a sua memória liberasse algumas lembranças anestesiadas pelos neurônios cerebrais e seus neuropeptídeos. Com a voz muito calma, em cadência harmônica, o instrutor impunha o repouso profundo ao paciente:

— Recorda, agora recorda o início do século XIX; volve à Paris napoleônica, retorna à mansão de M., às orgias comandadas por Madame X... Observa o bosque em torno da casa palaciana e acompanha as festas de exaustão dos sentidos, a embriaguez pelo álcool, pelo absinto, pela luxúria esfuziante

e depravada... Madame X comanda o espetáculo, em razão dos seus vínculos obscenos e extravagantes com o Palácio das Tulherias, a mansão de Malmaison e alguns dos seus famosos políticos e parasitas sociais...

O nobre amigo espiritual sugeriu-nos que nos concentrássemos no centro da memória do paciente e acompanhássemos o desenrolar dos fatos.

À medida que lhe ia enunciando o lugar e seus acontecimentos, o rosto de Mauro se modificava, assumindo outras características, agora femininas e vulgares. Vagarosamente se plasmavam nos delicados *tecidos* perispirituais as formas e a aparência anteriores, quando, utilizando-se de verbetes e versos fesceninos, o paciente sob hipnose volveu ao lupanar onde vivia e comandava a orgia desenfreada.

Entre as ordens que seus lábios expediam, assinalava-se a hedionda imposição da necessidade de crianças para os banquetes da loucura desenfreada, de psicopatas e de histéricas para os histriões e viciados que, à semelhança de animais no cio, se atiravam uns sobre os outros, locupletando-se em aberrações de muitos gêneros sob o comando compassivo da proprietária, igualmente debochada.

Num desses momentos, um lacaio apresentou-lhe uma criança de oito anos que fora tomada quase à força do pai devotado e trabalhador, que residia na periferia da cidade, e que se encontrava à porta, desejando falar-lhe, suplicar-lhe a libertação da presa valiosa.

A infeliz mulher mandou-o entrar, e, sem delongas nem pudor, propôs ao genitor aturdido a compra do seu filho, atirando-lhe um saco de moedas de ouro que, recusadas, conduziram-no a um quase delírio de ódio, ameaçando-a com palavras chulas de vingança pelo descalabro de roubar-lhe o filho... Expulso, sem piedade, e sem ter a quem queixar-se, o desditoso, em pranto e alucinado, desapareceu na noite, ruminando o desforço ante a tragédia que se abatera sobre o seu lar.

— Reconheces, Mauro — interrogou o mentor —, *esse homem que vitimaste com a tua crueldade e desabrida falta de moral? Reencarnou-se como teu genitor, e não te havendo perdoado, sem mesmo saber a procedência dos sentimentos ambíguos que mantinha em relação a ti, tornou-se o teu algoz infantil, o cruel explorador das tuas forças e pureza. Desditoso, sim, continua, porque ninguém tem o direito de fazer justiça com a própria indignidade, pois que as Leis Soberanas da Vida sempre buscam o calceta e o alcançam, levando-o à reparação. O ódio, porém, semeia venenos que são absorvidos, intoxicando aqueles que o conservam.*

Houve um silêncio de perplexidade. Mauro/Madame X comoveu-se e estertorou.

Anacleto, porém, prosseguiu:

— *Conservas uma herança infeliz daqueles dias passados em desrespeito à vida. A Misericórdia do Pai Criador trouxe-te de volta ao corpo, a fim de reparares, encarcerado em corpo diferente, e para que não resvalasses pela borda de novos crimes, porém como filho daquele a quem infelicitaste, para experimentares o licor amargo da recuperação moral. Isso, entretanto, não justifica o desbordamento das paixões a que te vens atirando, afogando-te no trágico pantanal de lascívia e perversão.*

O paciente sofria ante as cenas que ressumavam do inconsciente, e que conseguíamos acompanhar na sucessão de suas tragédias.

Repentinamente, vimos um poderoso membro do Império Napoleônico acercar-se da grandiosa mansão com o seu séquito e manter entrevista com Madame X.

– *Necessitava* – expunha, diabólico, logo que foi recebido – *de carne moça, muito jovem, sem experiência, a fim de ser-lhe o iniciador...*

Madame, besuntada de tintas escarlates na face envilecida, não teve dificuldade em atender a hórrida solicitação, mandando trazer-lhe a criança recém-chegada ao bordel de luxo, após o que entregou-a ao psicopata, que, cansado de batalhas cruéis e de excessos de perversão, aspirava a prazeres novos ainda não desfrutados à exaustão.

O menino, apavorado, conduzido à força, foi entregue ao militar desnaturado, que o levou com a sua corte igualmente insensata...

A voz do benfeitor fez-se ouvir, interrogativa:

– *Sabes quem é este ser? Consegues identificá-lo hoje? Dir-te-ei que ele, ao longo dos anos, adaptou-se à situação, mantendo terrível ódio contra ti. Na idade adulta, tornando-se corrompido ao máximo, nunca esqueceu a cena em que o pai desesperado recusou a oferta de ouro pela sua inocência, e a tua perversidade empurrou-o para o lixo e o apodrecimento moral a que foi relegado. A morte, que a todos recolhe, tomou-vos todos, e a vida voltou a reunir-vos no momento próprio, a fim de que recupereis os tesouros atirados fora e as oportunidades perdidas. Sabes de quem se trata?*

O sacerdote, incapaz de responder com segurança na aflição que o dominava, facultou que o mentor concluísse:

– *É o algoz que ora te arrebata e te conduz ao abismo sórdido da cidade do deboche onde reside com outros comensais dos prazeres exorbitantes e exaustivos do sexo pervertido.*

Manténs com ele identificação vibratória que lhe faculta o domínio das tuas forças mentais, saturando-te de fluidos venenosos e desordenados desejos de prazeres não saciáveis.

Após uma curta pausa, voltou a propor com energia e bondade:

— *Agora, desperta, volta à consciência lúcida atual. Volta... acorda... confia e tranquiliza-te...*

O Espírito estremeceu, desapareceram-lhe as marcas da reencarnação anterior e ele abriu os olhos, angustiado, inseguro, temeroso.

— *Tem bom ânimo, meu irmão* — acalmou-o o nobre Anacleto. — *Estás agora entre amigos e companheiros do caminho, que te desejamos o bem, a felicidade, o despertar para a vida, a fim de que esse tormento e esse capítulo hediondo da tua existência cedam lugar a novas experiências iluminativas, libertadoras. Voltarás ao corpo físico mantendo vagas lembranças destas ocorrências, que estarão presentes em tua memória atual, a fim de ajudar-te a enfrentar as consequências da conduta atroz a que te relegaste. Nunca, porém, te esqueças de Jesus. Abraças uma doutrina religiosa que consagrou santos e heróis, mártires e benfeitores da Humanidade, na qual também tiveram lugar homens e mulheres temerários, que respondem por crimes contra a criatura e a sociedade, mas que te poderá conduzir à paz, se souberes aceitar as injunções que desencadeaste contra ti mesmo e que logo mais te chamarão ao acerto de contas.*

A genitora abraçou-o com especial ternura, despedindo-se e acalmando-o com palavras tecidas em fios de esperança e fé em Deus, auxiliando-o a reintegrar-se ao corpo, que ressonava um pouco agitado, pelos reflexos dos acontecimentos revividos na Esfera espiritual.

A seguir, vimos Mauro despertar, sentindo-se muito cansado e confuso. Levantou-se, banhou o rosto em água fria, absorveu o ar da manhã em festa, aproximando-se do meio-dia, e volveu à meditação, sucumbindo sob os camartelos dos receios que o dominavam.

6
Socorros espirituais

Trêmula e perplexa, a diretora do educandário conduziu a criança, que de nada se apercebera, à sua sala, derreando-se na cadeira, enquanto tentava coordenar as ideias. Era a primeira vez que se deparava com algo tão estarrecedor e debatia-se em rude confusão mental, por não saber qual a atitude correta a tomar. Jamais poderia ocorrer-lhe um pensamento de que o jovem sacerdote fora capaz de algo tão inditoso e cruel. Nesse estado de espírito, vinculada à religião dominante, apesar do choque sofrido, buscou sabiamente o concurso da oração silenciosa, a fim de ser inspirada, enquanto o menino aguardava instruções.

Nesse comenos, utilizando-se da natural concentração da senhora, Dilermando envolveu-a com fluidos refazentes e calmantes, asserenando-a e inspirando-a a comportamento de equilíbrio, já que um escândalo em nada auxiliaria a escola, à quase vítima, aos demais alunos e aos seus familiares.

A mídia insensata, que se compraz em escabrosidades, logo se envolveria, tornando o fato isolado uma tragédia generalizada, criando situações muito embaraçosas para todos.

Assim, quando as ideias se lhe aclararam, ela solicitou a uma auxiliar conduzir o menino à sua sala, diluindo a gravidade da ocorrência que não deveria tomar dimensões maiores do que as reais.

Nada obstante, o conflito permaneceu-lhe na mente, considerando a alta responsabilidade que lhe pesava sobre os ombros.

Durante as horas que se passaram, interrogava-se, interiormente:

– Ter-se-ia equivocado ou chegado a uma conclusão por demais apressada? E se realmente o gesto de carícia do sacerdote não passasse de uma atitude de enternecimento, sem máculas nem intenções mórbidas?

Invariavelmente, as pessoas sempre analisam a conduta das outras, conforme as suas possibilidades e os seus padrões de comportamento, transferindo ou não para as demais suas culpas, suas inquietações, seus valores éticos.

Resolveu, desse modo, após muitas reflexões, aguardar os acontecimentos futuros, o reencontro com Mauro.

Naquela noite, o benfeitor providenciara atrair o obsessor do sacerdote à atividade mediúnica de socorro, na Instituição em que nos alojávamos, utilizando-se do concurso de alguns médiuns bem orientados e capacitados para o labor específico.

À hora regulamentar da Instituição, os membros da equipe socorrista reuniram-se como de hábito para a atividade da noite. Tratava-se de um grupo bastante harmonizado, qual uma orquestra bem treinada sob a batuta de devotado trabalhador da Causa Espírita, o amigo Felipe, que militava nos seus diversos labores há algumas décadas e que se afeiçoara, especialmente, ao ministério da psicoterapia com desencarnados infelizes.

Após as leituras preparatórias e os comentários breves que antecederam à oração de abertura dos serviços espirituais, a mentora da Instituição trouxe palavras sucintas de orientação em torno dos trabalhos terapêuticos que teriam lugar naquela noite, e alguns dos médiuns, recolhidos em prece, a pouco e pouco entraram em transe, facultando que as comunicações dos Espíritos sofredores uns, atormentados outros, tivessem lugar.

O médium Ricardo havia-se destacado pela facilidade da ocorrência dos fenômenos da psicofonia e da psicografia. Adestrado pelo estudo e prática da mediunidade com Jesus, era sensível e gentil aos apelos do Mundo maior, jamais se recusando ao serviço de esclarecimento e de caridade para com os Espíritos infelizes.

Desde quando fora deslocado do organismo de Mauro, o seu adversário ficara emaranhado nas vibrações do irmão Anacleto que o retinham, embora o mesmo não se desse conta. Porque estivesse curioso com a sucessão das ocorrências que envolviam o seu desafeto, acompanhou-nos ou foi conduzido para que participasse da experiência evocativa dos desmandos praticados pelo desastrado sacerdote, comprazendo-se em sentir-lhe os sofrimentos que o desvairavam.

Planejada a ação do bem, o servidor de Jesus concentrou-se fortemente no desdito espiritual e trouxe-o, em face da imantação psíquica, ao reduto da caridade evangélica, aproximando-o do médium Ricardo, que lhe pressentiu a vibração, deixando-se *incorporar*, embora o visitante não o desejasse.

Ato contínuo, entre estremecimentos e reações compreensíveis, o agressor desnaturado, dando-se conta do que ocorria, rugiu, raivoso, com dificuldade verbal para expressar-se:

— *Que trama é esta? Que se passa? Que se deseja de mim?*

Concomitantemente, procurava desembaraçar-se dos fluidos que o retinham ligado ao perispírito do médium em transe, que se entregara totalmente ao fenômeno da psicofonia atormentada.

O irmão Felipe, muito sereno, inspirado pelo ativo mentor, elucidou que não se tratava de uma armadilha, mas de um encontro muito feliz, por ser aquela a Casa de Jesus, onde o amor tinha primazia e os visitantes eram recebidos como verdadeiros irmãos, que realmente o eram.

Blasfemando e espumando de cólera, o indigitado comunicante inquiriu:

— *Sabe quem eu sou e o que faço? Por acaso se atrevem a interferir em meus planos que se encontram dentro das Leis da Vida? Sou vítima que ora se compraz em recuperar o tempo sofrido, impondo a adaga da justiça sobre aquele que me infelicitou, aguardando apenas o momento para aplicar-lhe o golpe final.*

Sem perder a serenidade, o doutrinador ripostou:

— *Sentimo-nos muito felizes por recebê-lo, sendo informados dos seus objetivos, que lealmente ignorávamos. Discordamos, porém, que o processo de que se utiliza para o desforço se encontre dentro dos Códigos Superiores, porque o amor é o único instrumento para regularizar todas as situações penosas e infelizes da trajetória humana. Desde que o amigo é vítima, desfruta de uma situação privilegiada, porquanto o algoz é sempre o infeliz que desacata o Estatuto Divino e passa, a partir desse momento, a experimentar-lhe os impositivos reparadores, não cabendo a ninguém o direito de vingança, que é sempre um ato de inferioridade moral.*

— *Como aguardar que as leis se cumpram, se elas estão fixadas em nossos sentimentos? Aquele que me infelicitou fez o mesmo a muitas outras vidas que ora estorcegam na agonia, enquanto o miserável mistifica em nome da religião, na qual esconde a indignidade para dar prosseguimento aos seus infames propósitos. É claro que o inspiro à continuidade, porque isso também me satisfaz, e, nos momentos do seu desprendimento pelo sono, arrebato-o para a cidade onde resido com outros, e onde ele se compraz no deboche e na exaustão dos sentidos. Já nem sei se o odeio ou se me agrada o conúbio com a sua degradação.*

— *O amigo não está sendo sincero com a verdade. Certamente reconhece que os semelhantes se atraem, enquanto os contrários se repelem, o que não constitui uma das leis da Física. O mesmo não ocorre entre as criaturas, que sempre se unem ou se afastam em razão das afinidades que vicejam entre elas. Se o amigo-irmão tem tal postura ante a sua vítima, é porque a sua não é uma situação diferente da que ele mantém. Quanto a levá-lo para o lugar em que se refugia, o fato ocorre em razão da mente distorcida e vulgar que o outro cultiva, preservando a morbidez e a intemperança, sem o que lhe seria totalmente inviável o êxito do que pretende.*

— *O certo é que o matarei, senão de imediato, ao primeiro ensejo* – disparou feroz.

Desde o primeiro momento, quando do encontro com o perverso inimigo de Mauro, chamou-me a atenção a sua fácies deformada, o conjunto de aberrações expostas e o aspecto de lesma disforme, viscoso e tresandando odores pútridos.

Imantado fortemente ao perispírito do médium sensível, mais se podiam perceber os detalhes da deformação que lhe tomara o ser ante os desmandos e práticas absurdas a que se entregava. O seu psiquismo, concentrado nas funções sexuais servis, havia criado na sua estrutura perispiritual uma forma degenerada que traduzia os seus conflitos e torpezas.

Sentindo-se fortemente *aprisionado* nos *tecidos* vigorosos do corpo perispiritual do sensitivo, blasonou:

– *Aqui me encontro porque quero, podendo retirar-me no momento que me compraza.*

– *Não duvido* – concordou Felipe. – *Apesar disso, a sua visita tem um fim, um propósito muito elevado. Trata-se da sua felicidade, que vem postergando ao longo do tempo, cada dia mais desnaturado e sofredor.*

– *Está equivocado* – redarguiu, com sonora gargalhada. – *A felicidade em mim é o prazer que desfruto nas atividades sexuais com parceiros humanos, adultos e especialmente crianças que muito me agradam. Para tanto, disponho de um instrumento perfeito, que se oculta no disfarce da Religião e da educação para dispor de mais variado estoque de comparsas, alongando-me pelas sensações exuberantes que fruo na comunidade onde vivo ditoso...*

– *Todo esse prazer e felicidade são fictícios, porque se trata de uma ilusão a que o amigo se impõe, e que, mediante ideoplastia muito bem elaborada, experimenta como fixações que lhe ficaram do corpo físico, hoje um monte de ossos ou pó que o tempo transformou. O mesmo ocorrerá, se é que não vem sucedendo, com as suas atuais aspirações e gozos. O Es-*

pírito não necessita dos envolvimentos materiais para alcançar a felicidade. Quando assim ocorre, ele mesmo se equivoca, mantendo toda uma estrutura de quimeras e absurdos com os quais se auto-hipnotiza, vivenciando aquilo que não mais pode ocorrer. A realidade, que nunca falta, se encarrega de esboroar os castelos da ilusão e despertar para a consciência, dilacerada por muito tempo pela perversidade, pelo egoísmo, pelas enfermidades interiores do Espírito... Este é o seu momento de autoconscientização através do contato conosco. Observe o corpo de que se utiliza neste instante. Dê-se conta dos limites que lhe impõe. Sinta as experiências diferentes que lhe transmite, as sensações de paz e de esperança, emoções já quase esquecidas...

– Não me faça rir – interrompeu o obsessor, abruptamente. – Afinal, sou eu quem tem muito a comentar, e não você, que nada entende da realidade do lado de cá. Neste Mundo no qual me movimento, a mente é tudo, e com ela cada qual experimenta o que melhor lhe apraz.

– Não ignoramos isso, os espiritistas, que transitamos de uma para outra faixa vibratória e mantemos contato contínuo com essa Esfera das causas. O fato a que me refiro são as construções mentais doentias, os redutos de ignorância e de crueldade, de licenças morais e vacuidades espirituais, que um sopro do amor da Realidade dilui, tudo reduzindo a expressões que não mais podem atender aos desmandos dos tresvariados como o amigo... Observe que o fenômeno que agora ocorre é quase o mesmo que se dá quando você envolve aquele que o prejudicou. Somente que esta ocorrência é proposta como terapêutica e a sua influência tem limites, em razão dos controles morais do médium de quem se utiliza.

– Reconheço que o posso comandar com limites – esclareceu, desagradado. – Não obstante, as energias que ele *exterioriza não conseguem impedir-me a lucidez nem a minha própria vontade. O certo é que este diálogo, que se alonga inútil, não conseguirá alterar o meu comportamento. Volverei ao meu reduto, onde me reabastecerei de forças para dar prosseguimento à guerra.*

– A guerra, amigo querido, está dentro das fronteiras do seu mundo íntimo, em razão dos seus conflitos e desordens morais, que o consomem sem o aniquilar, que o desarticulam sem o destruir. Somente o amor possui os valores e recursos que propiciam a paz, estando ao alcance de todos aqueles que o desejemos vivenciar. Não se engane mais, nem continue mentindo a si. Você sabe que a sua hora soa e chega o instante da sua renovação. Ninguém pode prosseguir por tempo indeterminado nos propósitos inferiores sem que haja a intervenção divina.

Totalmente envolvido pelos fluidos do médium e pelas vibrações emanadas do mentor Anacleto, o inditoso começou a blasfemar e a repetir ameaças que faria estremecer até mesmo estruturas emocionais mais resistentes.

Felipe, sem perder o autocontrole, conduzido espiritualmente, aproximou-se do médium em transe e começou a aplicar energias balsamizantes, enquanto elucidava:

– Por hoje o nosso diálogo está encerrado. Não faltarão outras oportunidades para esclarecimento. O nosso desejo de afastá-lo daquele a quem explora psiquicamente, roubando-lhe as energias e o discernimento, aguçando-lhe os desejos inferiores, está coroado de êxito. Você será mantido em tratamento especializado em outra área do Mundo causal, recuperando-se a pouco e pouco, de forma que desperte completamente lúcido para outra realidade.

O verbo ameno e caridoso, as vibrações saudáveis que eram aplicadas no médium e no Espírito culminaram com o afastamento do sofredor, logo recolhido por cooperadores da equipe espiritual da Casa, naquele momento sob a direção do irmão Anacleto.

As atividades mediúnicas prosseguiram com outras psicofonias dolorosas, assinaladas pelo sofrimento, pela revolta, pela angústia, pela necessidade de paz, consignadas pelos comunicantes espirituais.

O Espírito é realmente o construtor das suas emoções, que variam da desdita à plenitude. De acordo com os comportamentos mentais e emocionais, as condutas no cotidiano, constrói-se, projetando na direção do futuro, todo esse arsenal de realizações que lhe constituem o patrimônio existencial.

Enquanto o agressor de Mauro era adormecido em nossa Esfera de ação, interroguei o irmão Anacleto:

— *Considerando-se que o amigo espiritual atendido não estava interessado na própria renovação, trazê-lo a contragosto a esta reunião de esclarecimento e de libertação não incidiria em violência contra o seu livre-arbítrio?*

Com paciência e sabedoria, o interrogado esclareceu-me:

— *O livre-arbítrio é concessão divina que tem caráter relativo, não podendo ser facultado sem responsabilidade por aquele que o utiliza. No caso em tela, a fim de auxiliarmos Mauro, que necessita de recuperar-se dos males praticados, somos convidados a contribuir em favor de todos aqueles que se encontram enredados nas teias dos problemas desencadeados pela insânia dele. E porque o mal que Jean-Michel — este é o nome que teve na reencarnação anterior — persiste em preservar, arrastando o seu inimigo e a si mesmo desvairando, não pode permanecer indefinidamente. O nosso ato é de misericórdia e de compaixão, não constituindo violência, porque o seu discernimento encontra-se obliterado pela paixão alucinada. Qual ocorre com crianças e jovens, ou mesmo com adultos sem amadurecimento psicológico e moral, determinadas decisões não necessitam de passar-lhes pelo crivo da opinião, porque destituídos de discernimento não saberiam o que ou como fazer. Não poucas vezes, determinados tratamentos cirúrgicos e psiquiátricos são decididos pela família do paciente, mesmo que sem o seu consentimento, a fim de salvar-lhe a existência. A responsabilidade é o melhor aval para a utilização do livre-arbítrio, mas que ainda falta a muitos Espíritos durante o seu atual processo de evolução.*

Certamente a vida estabelece os seus códigos e a transgressão deles gera as ocorrências que se transformam em infortúnio para os seus desavisados, estejam ou não conscientes da responsabilidade da ação que pratiquem. É óbvio que haverá sempre fatores ponderáveis que são levados em conta, agravando ou diminuindo as consequências, conforme a consciência de cada um.

A movimentação espiritual era muito grande na sala, relativamente exígua no seu espaço físico. As paredes, no entanto, haviam desaparecido e o ambiente alargava-se além dos limites estabelecidos pela construção material. Genitores aflitos já desencarnados traziam solicitações de socorro aos filhos rebeldes e ingratos que ficaram na Terra, rogando amparo e libertação das Entidades inferiores com as quais se comprazíam; esposos saudosos imploravam ajuda e oportunidade para enviarem notícias aos parceiros que ficaram no mundo; amigos ansiosos requeriam o concurso dos benfeitores em favor dos companheiros da experiência carnal; obsessores de má catadura apareciam intempestivamente, arrebanhados para área própria de contenção, tudo, porém, supervisionado pela mentora da Casa, assessorada por um grupo de especialistas em socorro espiritual, que se movimentavam com discrição e ordem, preservando o ambiente psíquico.

Sobre a mesa mediúnica uma faixa de luz diamantina descia de ignorada região, envolvendo todos aqueles que ali se encontravam no ministério socorrista. Vibrações vigorosas vinculavam uns aos outros trabalhadores, formando um círculo luminoso que os mantinha em equilíbrio.

Na assistência, fora da mesa na qual se dava a maioria das comunicações, círculos de luz variavam de tonalidade conforme a emissão de onda de cada pessoa, concentrada ou não, vibrando em uníssono com os Espíritos trabalhadores, ou que, por uma circunstância qualquer, distanciava-se do local através do pensamento indisciplinado, ali permanecendo fixado às impressões que lhe eram familiares e nas quais se comprazia, porém sem nenhuma luminosidade. Aparentemente se encontrava deslocada das correntes de energia que a todos unia num todo vibrante e harmonioso, sem que, todavia, se encontrasse à míngua de proteção em relação aos seus inimigos pessoais...

Uma reunião mediúnica de qualquer natureza é sempre uma realização nobre em oficina de ação conjugada, na qual os seus membros se harmonizam e se interligam a benefício dos resultados que se perseguem, quais sejam, a facilidade para as comunicações espirituais, o socorro aos aflitos de ambos os planos da vida, a educação dos desorientados, as terapias especiais que são aplicadas, e, naquelas de desobsessão, em face da maior gravidade do cometimento, transforma-se em clínica de saúde mental especializada, na qual cirurgias delicadas são desenvolvidas nos perispíritos dos encarnados, assim como dos liberados do corpo, mediante processos mui cuidadosos, que exigem equipe eficiente no que diz respeito ao conjunto de cooperadores do mundo físico.

Acercando-se o momento do encerramento das atividades da noite, após a aplicação de passes coletivos nos médiuns e demais membros do grupo, dispersão das energias condensadas que haviam ficado como sequelas das comunicações e mesmo da psicosfera produzida pelos mais infelizes, o irmão Anacleto foi convidado a transmitir a mensagem final de encorajamento e de iluminação a todos os presentes por solicitação da diretora espiritual.

Orando silenciosamente para o cometimento, o amigo tomou os recursos psicofônicos de Ricardo, que se iluminou, exteriorizando peculiar claridade nos *chakras coronário* e *cerebral*, em tonalidade violáceo-prateada que lhe tomava todo o sistema endócrino, partindo da glândula pineal, verdadeiro fulcro de luz, e percorrendo todas as demais, com predominância nas do aparelho genésico que emitia radiações poderosas, sustentando a bomba cardíaca, os pulmões, os rins e todo o organismo.

O médium apresentava-se transfigurado, com a face em delicado sorriso e em serenidade, facultando que o pensamento do comunicante fosse decodificado pelo seu cérebro e transformado em palavras.

– *Amigos-irmãos* – começou o nobre Espírito –, *prossiga a paz de Jesus em nossos corações.*

O Amor que flui de Nosso Pai jamais cessa.

Expressando-se de mil formas, alcança todas as manifestações da Sua vontade materializada no Universo.

Vibrando nas micropartículas e imantando o cosmo, mantém a ordem e o equilíbrio das moléculas e das esferas que pulsam além da nossa imaginação.

Entre nós, manifesta-se como dever em relação ao nosso próximo, após a própria transformação moral para melhor. Sem essa renovação interior, mui dificilmente alcança outros corações. Exteriorizando-se como forma de construir a alegria em outras vidas, para tornar o mundo melhor e as criaturas menos sofridas, é o alimento das almas, sem o qual todas pereceriam.

Extrapola a dimensão do mundo físico e agiganta-se além da organização material, abrangendo os espaços siderais onde estão edificados os ninhos espirituais e as mansões da felicidade, descendo aos pauis da miséria moral e da vergonha, nos antros de devassidão e de perversidade...

Luze, soberano, em todo lugar e vige como força que conduz à meta da felicidade.

Nada obstante, o egoísmo humano engendra a rebeldia e a ignorância das Leis, proclamando a vigência do ódio, que é apenas doença da alma, produzindo alucinações e desaires.

Atos irrefletidos, comportamentos desastrosos, ações perversas, que são frutos espúrios da ignorância e do egotismo, enfermam os Espíritos que se alucinam, convidando-os aos revides e às desestruturadas vinganças, aos disparates da revolta que consumam com atitudes de perseguição e de insânia, perdendo o tempo e a oportunidade de serem plenos.

Surgem, então, os espetáculos inditosos das obsessões vigorosas, nas quais o intercâmbio de vibrações deletérias ceifa a alegria e a paz, a saúde e o júbilo, arrastando-se por largos períodos de insânia e desespero, quando poderia ser muito diferente, caso se permitisse que o amor lenisse as mágoas *e apagasse os sentimentos de revolta... E vemos a multidão aturdida, sobrecarregada pelo peso das alienações espirituais de simples como de complexo conteúdo psicopatológico.*

Por outro lado, esses processos de orgulho e de presunção desencadeiam transtornos emocionais e psíquicos que se convertem em enfermidades dilaceradoras cruéis, transformando o planeta em um grande hospital, quando a sua é a função de escola, para educação e para reeducação, reduto de crescimento íntimo e de iluminação interior.

Dessa forma, campeiam as obsessões espirituais e físicas, os dislates dos sentimentos e os ódios em guerras sórdidas de uns contra os outros, quando se deveria laborar para que ocorresse a união de uns com os outros, conforme a recomendação do Príncipe da Paz, que é Jesus Cristo.

Apesar disso, o Consolador *chegou à Terra, a fim de auxiliar o ser humano na sua recuperação, influenciando-lhe a conduta, oferecendo-lhe a visão da realidade que, outrora, não tinha como entender, por faltarem os recursos valiosos da Ciência e da Tecnologia, do pensamento e da razão. Levanta-se agora a cortina que impedia a visão do Mundo espiritual e constata-se a grande realidade da vida em outra dimensão, de onde todos procedemos e para onde todos retornamos.*

Com o seu advento, os Espíritos do Bem vêm conclamar-vos à concórdia, à compaixão, à caridade, ao culto dos deveres.

Não tergiverseis, nem temais nunca, pois que o Senhor da Vida está convosco, conduzindo-vos com segurança ao Seu aprisco.

Distendei as mãos caridosas a todos, particularmente aos irmãos da Erraticidade inferior, que constituem a multidão dos equivocados e infelizes, que se encontram na psicosfera do planeta e logo mais estarão de retorno, caminhando no corpo físico com as massas no rumo do porvir.

Ajudai-os, auxiliando o vosso próximo mais próximo no lar, no trabalho, nas ruas, na comunidade...

O bem começa no lar e expande-se em catadupas de luz, rompendo a grande noite que predomina no mundo atormentado dos nossos dias.

Vivei conforme os ditames do Evangelho de Jesus, caindo e levantando-vos, errando menos e acertando o *passo com o amor, a fim de tornardes as vossas existências um pomar de bênçãos e a vossa estrada assinalada por marcas de segurança, apontando o rumo de plenitude.*

Tende paciência ante as injunções dolorosas e confiai no amanhã. Realizai o melhor agora, e aquilo que não possa ser executado no momento, aguardai o instante propício no futuro que alcançareis.

Agradecendo-vos a cooperação fraternal em favor dos irmãos atormentados, que se encontram na retaguarda do processo da evolução, exoro as bênçãos de Deus para todos nós.

Afetuosamente, vosso amigo e irmão, Anacleto.

Pairavam no ar dúlcidas vibrações de paz. Muitos de nós, de ambos os planos da vida, tínhamos lágrimas de justa emoção, que escorriam suavemente pela face, em forma de gratidão ao Pai e ao querido benfeitor.

Ante o magnificente espetáculo de luzes espirituais que penetravam todos os presentes, a reunião foi encerrada com sentida oração de graças, proferida pelo irmão Felipe.

7
Programações abençoadas

Concluídos os trabalhos mediúnicos e afastados os membros encarnados do grupo da Instituição, rumando aos seus lares, continuamos em febril atividade espiritual junto àqueles que haviam sido atendidos, mas cuja terapia deveria ser mais acurada. Alguns seriam transferidos para nossa Esfera de ação, outros ficariam alojados nas instalações da Casa, diversos seriam liberados, a fim de elegerem o melhor caminho a seguir, respeitando-se a liberdade de escolha de cada qual. Experimentaram a claridade que deslumbra, agora seria necessário deixar-se penetrar pela luz de modo a beneficiar-se largamente dos seus recursos preciosos.

Aos primeiros minutos da madrugada, o irmão Anacleto convidou-nos, a mim e a Dilermando, para rumarmos à casa paroquial, a fim de trazermos Mauro a reflexões através do desdobramento pelo sono, o que não foi muito difícil. O seu estado de ânimo em quebrantamento facilitou-nos o recurso especializado e, adormecido, conduzimo-lo ao recinto onde se operara a reunião mediúnica.

De imediato, seguimos o mentor na direção do lar da Profa. Eutímia, a nobre diretora do educandário onde Mauro lecionava.

A senhora permanecia acabrunhada, com a mente em torvelinho.

Àquela hora, embora houvesse tomado um medicamento calmante, sem haver dito nada ao marido, evitando precipitação de conduta, não conseguia o sono reparador. Despertava assustada com frequência, recorrendo à ajuda da oração, conforme os padrões dos seus conceitos religiosos.

Enriquecida por uma família bem constituída, mãe devotada de duas crianças com idades entre 8 e 10 anos, uma linda garota e um simpático varão, o esposo era homem sério, voltado para as questões espirituais da religião que ambos professavam.

Podemos afirmar que se tratava de um lar construído em bases cristãs, sem as excentricidades dos comportamentos mundanos da atualidade, em que o vazio existencial e a vulgaridade têm primazia nos relacionamentos que deveriam ser afetivos.

Adentramos pelo lar e encontramos alguns Espíritos amigos que ali também se domiciliavam, em face das vinculações afetuosas com a família. Tudo transpirava paz e bem-estar, numa psicosfera de harmonia, o que é, de certo modo, bastante raro nas famílias contemporâneas e nos seus ninhos domésticos.

O nosso instrutor adentrou-se na alcova e, enquanto o aguardava, do lado de fora, em bom diálogo com os novos amigos, após breves minutos, trouxe, em desdobramento parcial, a digna senhora, que dormia também em espírito, experienciando um repouso saudável, que faria muito bem ao seu organismo vitimado pelo choque pós-traumático.

Conduzida à Casa Espírita onde deveriam ter continuidade os labores de renovação das almas, foi colocada gentilmente sobre um leito improvisado e continuou adormecida.

No recanto em que nos encontrávamos, também estavam Mauro e sua genitora, a nobre senhora Martina, D. Eutímia e Jean-Michel, que de vez em quando, vivenciando uma forma de pesadelo em espírito, agitava-se.

O mentor convidou-nos ao recolhimento pela prece, igualmente assistido pela diretora espiritual do núcleo que nos acolhia.

Havia uma psicosfera de paz e de agradecimento a Deus, em tão alto padrão que se podia sentir o vibrar dos sentimentos em festa.

Após sentida oração, o benfeitor Anacleto acercou-se da nobre mestra e convidou-a ao despertamento, enquanto nós outros fazíamos o mesmo com Mauro, e Dilermando com bondade e energia despertava Jean-Michel.

Como se estivesse no corpo físico, ao amanhecer de um dia feliz, a senhora acordou tranquila, jovial, e surpreendeu-se com o grupo que formávamos. Antes de apresentar alguma interrogação, o mentor explicou-lhe:

— *Estamos reunidos em nome de Jesus, a quem todos amamos e devemos carinhoso respeito, a fim de estudarmos o drama da manhã passada, envolvendo o nosso sacerdote Mauro. Não estranhe este acontecimento, que é mais comum do que pode parecer, em razão dos fenômenos da vida terem sua causa em programações aqui, na Esfera da realidade. Todos estamos envolvidos pelo acontecimento infeliz, cujas consequências puderam ser diminuídas graças à intervenção da Misericórdia Divina.*

Nesse momento, mais lúcida, D. Eutímia identificou Mauro e teve uma reação previsível de receio.

O instrutor vigilante asserenou-a, informando que tudo estava sob controle e ela não teria porque temer ou afligir-se.

Por sua vez, o jovem sacerdote não se pôde furtar ao constrangimento imposto pela consciência de culpa diante daqueles cuja confiança defraudara.

Antes que Jean-Michel pudesse intervir ou ser convidado a reflexões, o irmão Anacleto elucidou, dirigindo-se diretamente à diretora do educandário:

— *O grave assédio de Mauro à criança constitui um crime hediondo, considerando-se os fatores e circunstâncias, os valores e compromissos que se encontram em jogo. Sem diminuir-lhe a responsabilidade pelo gravame, é justo considerarmos que o mesmo se encontra fora do equilíbrio emocional e racional, vitimado por conflitos hórridos e sob a injunção de forças desconexas do Mundo espiritual inferior, que o aturdem e comandam mentalmente. Açodado na libido pelo vício mental e pela ação nefasta de um perseguidor espiritual, planejava abusar da inocência da criança. Felizmente, porém, não teve tempo de consumar o infeliz programa, encontrando-se agora terrivelmente ferido no sentimento e aturdido na razão, ao considerar a gravidade daquele infame instante que o alucina.*

Fez uma pausa oportuna no esclarecimento, a fim de que a senhora melhor compreendesse o que se passava, logo prosseguindo:

— *Aqui nos reunimos com o objetivo de evitar maiores danos à criança ingênua, qualquer situação de prejuízo moral para a escola, assim como para encontrarmos a melhor solução para atender também ao infrator... Todo erro pode ser reparado, especialmente antes que se transforme em tragédia. O nosso amigo já dilacerou os sentimentos de algumas crianças, que soube atrair ao regaço com sagacidade e astúcia, objetivando os seus fins ignóbeis. Chega o momento de ser-lhe dada uma oportunidade de reparação, através da qual se liberte igualmente do tormento que o vem assediando há muitos anos desde antes do berço, tendo-se em vista o local de onde procedeu no rumo da reencarnação... As heranças que trouxe embutidas nos sentimentos são odientas, e os laços que o vinculam aos sítios que habitava são vigorosos. Nada, porém, que não se possa modificar ante o esforço pessoal bem direcionado e a entrega interior ao Pai Criador. Certamente, o problema a que nos estamos referindo deve tomar um rumo de segurança, para que suste futuras consequências mais lamentáveis e perversas.*

Todos acompanhávamos o seu raciocínio com empatia e agrado.

A senhora Eutímia, a pouco e pouco, fixou-se nos comentários do mentor e pareceu aliviar-se lentamente da tensão que a mantinha em aflição.

Dando prosseguimento, o sábio amigo expôs:

– A melhor solução para este momento não deverá ter um caráter punitivo ao infrator, que está doente, mas um objetivo reeducador, a fim de que, consciente da severa situação, modifique por completo a existência, dando novo rumo aos passos que devem seguir na direção da felicidade pessoal e da de todos com quem conviva. Assim, sugiro que a gentil professora entre em contato com a autoridade religiosa superior, que pode estudar a solução ideal para a ocorrência, narrando os fatos com serenidade e exigindo a transferência do sacerdote, sem comentários escabrosos, que sempre fecham a porta à solvência de

quaisquer problemas. Acredito que o senhor bispo, notificado a respeito da gravidade do comportamento do seu subalterno, saberá como encaminhar a questão à instância superior, se for o caso, ou o equacionará conforme sejam as instruções que tenha do alto clero.

Facultando tempo para que pudesse ser entendido pela mestra e por todos os circunstantes, aludiu com habilidade e prudência:

— *Não estamos escamoteando o erro nem agindo de forma conivente com o descalabro moral do paciente. A enfermidade necessita de tratamento e não de escarcéu, sempre do bom gosto dos insensatos. O afastamento do infrator do convívio infantil, impedindo novos contatos com vítimas em potencial, é uma terapia eficiente e de grande efeito moral. Assim, confiamos na prudência e nos bons ofícios da nossa esclarecida mestra.*

Quando silenciou, a senhora tinha lágrimas nos olhos, não ocultando a surpresa e o sofrimento que tudo aquilo lhe causava. No entanto, forrada pelos sentimentos da sua fé religiosa, podia compreender que ao pecador se deve conceder a bênção da reparação, antes mesmo da punição impiedosa que não edifica, às vezes piorando e ultrajando mais o infeliz.

Levantou-se, impulsionada por um sentimento de lídima fraternidade, acercou-se de Mauro e, tomando-lhe as mãos, falou-lhe que buscaria providências cautelosas conforme as diretrizes que lhe foram oferecidas.

O jovem não se pôde conter e abraçou-a com sincera fraternidade e gratidão.

Retornando ao seu lugar, a mestra permaneceu quieta, quando o mentor deu continuidade à reunião, agora se dirigindo a Mauro:

— *Não ignoras a extensão do teu erro, e desde há muito vens tentando cicatrizar a chaga moral que te dilacera interiormente, fazendo-te decompor em espírito. Reconheces que se trata de um crime grave, no qual ocultavas as tuas aflições, justificadas pelo que a ti mesmo acontecera na infância... As raízes, porém, desses erros, agora sabes que estão no teu passado espiritual, assinalado pelo deboche e pelo desrespeito a outras vidas. Ninguém atinge esse patamar de miséria sem que não haja transitado pelos pântanos das paixões sórdidas e asfixiantes. Agora, no entanto, importem-nos os novos rumos que deverás imprimir à tua existência. Necessitas de tratamento especializado e de um expressivo afastamento das tuas obrigações sacerdotais, demorado estudo de ti mesmo e reeducação dos hábitos, começando pelos mentais. Os devaneios que vitalizas através das imagens que intercambias sob pseudônimo com outros doentes morais, devem ser imediatamente interrompidos, pois que eles trazem uma alta carga de sensações perturbadoras que se te fixam nos painéis da mente, mais te atordoando, mais te excitando. Severas medidas disciplinantes deverás impor-te, para que possas reparar as vidas dilaceradas mediante as que, futuramente, serão dignificadas.*

Ao despertares terás uma nítida lembrança, quanto possível, destes acontecimentos de que participas, de modo que um novo programa te será delineado e deverás segui-lo com os olhos postos no amanhã feliz. Somente o bem incessante te constituirá refúgio e garantia de saúde moral sob as bênçãos de Jesus, o Herói silencioso de todos os momentos. Não temas, nem te permitas novos pesadelos de horror.

Silenciando, foi interrompido pelos gritos e impropérios de Jean-Michel, que indagava:

— Como? O infeliz não pagará pelos crimes perpetrados? Que justiça é essa? Onde o reto cumprimento dos deveres e das leis? Como é possível acobertar tanta miséria, através de artifícios piegas de compaixão e de terapias de mentira? Ele é um criminoso consciente e terá que responder publicamente pelos desvios que se tem permitido e pelo mal que vem praticando contra a pobre infância...

As últimas palavras não escondiam a alta dose de ironia e o conjunto não ocultava a perfídia de que se utilizava, a fim de gerar conflitos e dúvidas.

Sem perder a serenidade que lhe era habitual, o mentor respondeu-lhe com bondade e energia:

— Surpreendo-me com as tuas palavras, porquanto, se considerarmos a questão do crime no caso em discussão, o responsável não é somente aquele que transita no corpo físico, mas também o nosso astuto amigo, que sabe imprecar e proclamar a necessidade de justiça. A qual justiça te referes? Àquela da cidade do deboche, do paul da depravação, onde os seres humanos se tornaram escravos das próprias abjeções? Com que autoridade reclamas justiça, tu que tens sido o execrando comparsa do exausto hospedeiro das tuas vis sensações? Acreditas que os teus sofismas perturbem a claridade do nosso raciocínio? Enganas-te, porquanto, antes das conjecturas aqui apresentadas, estamos habituados a lidar com vítimas e algozes, com psicopatas aferrados ao sexo em desalinho, desde o período em que nos encontrávamos na Terra... Logo mais, será o momento de dialogarmos contigo, e por enquanto silencia e ouve...

A atitude imediata, enérgica e clara, assumida pelo orientador, fez o perturbador aquietar-se embaraçado.

O nobre Anacleto deixara claro que, desde os dias do corpo físico, no mundo, se houvera dedicado à sexologia, de cuja tarefa se desincumbira com elevada folha de serviços prestados aos enfermos e a outros portadores de distúrbio na área genésica. Por isso mesmo, prosseguia afeiçoado ao mister de atendimento aos infelizes que tombaram nas paixões mais grosseiras do sexo enfermo, havendo sido designado por Instância Superior para a tarefa na qual nos encontrávamos investidos.

Dando prosseguimento às instruções, volveu à dona Eutímia e explicou:

— *Em face da magnitude do evento infeliz, é de bom alvitre que, no primeiro momento, a dedicada diretora elucide ao esposo a ocorrência e com ele busque um contato com Sua Eminência, o senhor bispo, pondo-o a par de tudo, de modo que se possam tomar providências sem as escabrosas contribuições da mídia que se compraz no lixo das misérias humanas. É certo que há outra mídia honesta, que narra os fatos conforme acontecem, divulgando-os e esclarecendo as pessoas, o que nem sempre acontece com a correção que seria necessária, antes exaltando o mal, sem o erradicar ou apresentar saudáveis soluções para ele.*

Porque silenciasse, como percebendo que a nobre senhora teria algumas interrogações, o mentor aquietou-se por um pouco, facultando que dona Eutímia inquirisse:

— *Perante as Leis de Deus, um sacerdote que jura ser fiel à verdade, trabalhar pelo bem da comunidade, ser pastor de ovelhas que se lhe entregam confiantes, e defrauda o compromisso através de conduta execrável, ficará impune? Não são pecados mortais os atos infames que o padre Mauro vem praticando com insistência? E as suas vítimas, como ficarão?*

Com a mesma sinceridade, o benfeitor respondeu:

— Ninguém foge das Leis de Deus que vigem em toda parte e que estão escritas na consciência de todos nós. O nosso irmão não fugirá de si mesmo, das cenas escabrosas que se permitiu, do remorso que o dominará por largo período. Isso, porém, somente sucederá mais tarde, quando, desperto e disposto ao resgate, começar o período de refazimento. A punição divina ao pecado mortal *nunca se faz de maneira destrutiva do pecador, mas de forma que o edifique, convidando-o a reparar todos os danos perpetrados, mediante ações dignificantes e restauradoras do equilíbrio. Por isso mesmo, é-nos a todos muito difícil o julgamento correto, por desconhecimento das causas profundas e a modesta percepção do todo no acontecimento, que somente a Consciência Cósmica penetra. Mas ninguém se libera da culpa sem padecer-lhe os efeitos danosos e cruéis...*

Interrompeu a explicação por um pouco, a fim de nos permitir assimilar o seu conteúdo profundo, e continuou:

— Pelo que nos é dado perceber, a renovação de Mauro já começou, a partir do instante em que se deu conta da própria loucura. Por sua vez, a Misericórdia do Pai, em nome de Sua Justiça, facultar-lhe-á um longo período de isolamento, possivelmente em uma clínica onde se irá reajustar aos padrões de comportamento saudável, inspirando-o a cuidar de crianças enfermas, portadoras de alienações mentais e distúrbios nervosos, assim resguardando-se da prática de atos indecorosos, assistindo-as, socorrendo-as, amando-as, sendo repudiado, maltratado, agredido... As Entidades perversas que as obsidiarem, sabendo do passado do então futuro devotado benfeitor, agirão agressivamente tentando desanimá-lo, provocando-o para que se afaste do benfazer e tombe novamente nos escuros abismos da loucura... Nesses momentos, porém, luzirá o Amor do Pai inspirando-o a prosseguir, e sua mãezinha desencarnada, que o

vem ajudando a sair do fosso, ser-lhe-á o anjo da guarda, insistindo pela sua renovação e felicidade. Igualmente não faltarão outros socorros, porque o bem é a coroa da vida e jamais segue a sós, sem amparo na retaguarda e com atração na vanguarda.

As criancinhas danificadas emocionalmente receberão de igual modo o melhor conforto moral e espiritual, em vez de, após o escândalo, receberem polpudas indenizações, expostas ao ridículo, aos conflitos públicos e ao escárnio daqueles mesmos que aplaudem as eclosões das cenas estúpidas e escabrosas. Aprisioná-lo em um cárcere infecto, colocá-lo entre bandidos outros que poderão assassiná-lo, como vem ocorrendo no mundo, de maneira alguma fará deter a eclosão de episódios de pedofilia que se multiplicam em razão do deboche que desgoverna as criaturas. Antes estimularão outros enfermos a serem mais hábeis, a investirem mais no turismo sexual, *em grande voga, que rende fortunas incalculáveis aos seus exploradores e aos veículos de informação que os divulgam com dubiedade, sem o caráter sério de deter o fluxo destruidor.*

Novamente fez pausa. Adentrando-se pelo futuro na programação que trazia em mente sob os auspícios de venerandos mensageiros da Luz, concluiu:

— *Chegará o dia em que a perversidade desaparecerá da Terra e a escabrosidade das almas será substituída pela compaixão e pelos sentimentos de amor com respeito pela vida. Nesse dia, que certamente não será imediato, as ocorrências abomináveis estarão nas páginas da História como pertencentes ao período de brutalidade e primitivismo da criatura humana, qual ocorre com inúmeros fenômenos do passado... Até chegar esse momento, a todos nos cabem as atitudes de ajuda e de compreensão, de energia e de bondade, reeducando os calcetas e atendendo às vítimas, de forma que o equilíbrio moral predomine nos arraiais da sociedade terrestre.*

Nosso irmão enfermo transitará um longo percurso de recuperação e de reconquista de si mesmo. Ajudemo-lo, antes que o destruamos, considerando que a vida são bênçãos e que todo aquele que estiver sem pecado atire-lhe a primeira pedra.

Todos nos encontrávamos emocionados. A lógica, a temperança, a sabedoria do benfeitor levavam-nos a reflexões interiores muito profundas, quando analisamos o que fizéramos e como nos encontrávamos ante o infinito de possibilidades edificantes que nos aguardavam.

D. Eutímia anuiu completamente, apresentando-se serena e quase feliz.

Nesse momento, o benfeitor dirigiu-se a Jean-Michel que se apresentava aturdido ante o que acabara de ouvir. Desde quando perdera o discernimento e tombara no abismo do ódio, da perversão moral e da criminalidade, não tivera ensejo de reflexionar em torno da vida e da sua grandeza, dos objetivos essenciais ao crescimento para Deus, que é inevitável. Dava-se conta, nesse momento, do engodo que se permitia e da ilusão que buscara transformar em realidade eterna, ludibriando os Códigos Divinos. Quase atoleimado, ouviu o irmão Anacleto falar-lhe:

– *Quanto a ti, irmão querido, o amanhã sorri mil dádivas de felicidade. Chegou o momento de te libertares também da canga odienta do sofrimento bestial, que em nada te ajuda, antes mais te alucina. Da situação de vítima da hediondez, te tornaste comparsa e fomentador de novas misérias contra a Humanidade. Hipnotizado pelo prazer selvagem, já perdeste o rumo dos teus nefandos objetivos, que eram de perseguição, tombando nas malhas da rede de misérias que teceste, tornan-*

do-te vítima de ti mesmo e dos teus planos diabólicos. Agora despertas para vida nova, para novos compromissos. Ouve: Jesus te chama para a felicidade e não te podes negar ao ensejo especial. Renascerás na carne, oportunamente, chagado e aflito, com os estigmas que cravaste nos tecidos sutis do Espírito, através do teu corpo intermediário, hoje deformado e em dilacerações. Já imprimiste, no teu futuro, uma infância limitada por anomalias mentais e físicas de vária natureza, na qual te demorarás por mais ou menos uma dezena de anos tormentosos, visitado, vez que outra, pelos teus companheiros do antro de depravação, que te explorarão as energias, mais afligindo-te... Nesse exílio libertador, terás como benfeitor e companheiro, pela senda de espinhos, o nosso Mauro que te recolherá na casa da caridade que erguerá oportunamente em distante recanto do Brasil, em cuja oportunidade vos amareis, ajudando-vos reciprocamente... Confia em Deus, que é teu Pai como o é nosso, e liberta-te de ti mesmo, desse comportamento infeliz que te desnaturou. Quanto possível estaremos contigo e outros benfeitores nunca se te apartarão, ajudando-te na desincumbência do dever.

O infeliz encolheu-se como se desejasse ocultar as formas degeneradas e prorrompeu em pranto volumoso, desesperador, quase convulsionando.

Foi então que Mauro, reassumindo a personalidade de Madame X, a antiga dama lasciva e pervertida nos dias do Império Napoleônico, levantou-se e, telementalizada pelo guia Anacleto, abraçou o sofredor, dizendo-lhe em lágrimas:

— *Ajuda-me com o teu perdão, a fim de que eu te possa ajudar com a minha compaixão, e juntos possamos reabilitar-nos de todo o mal que fizemos através do bem que possamos fazer. Somos duas aves feridas que tememos voar, receando o tombo no abismo. Deus nos dará forças, ajudar-nos-á a recupe-*

rar nossas plumas, para que planemos acima do pantanal que nos retém afogando-nos. Perdoa-me, por Deus! Eu estava louca e venho continuando em alucinação...

Não pôde prosseguir, porque o verbo ficou estrangulado na garganta túrgida. O abraço, porém, que a sua vítima não pôde evitar, naquele momento selava compromissos de acerbas dores para o futuro, todavia, abria a via redentora de libertação.

Tartamudeando, o Espírito infeliz redarguiu:
— Que Deus nos perdoe a ambos, desditosos que somos!

Cessados esses momentos de forte emoção, o irmão Anacleto concluiu:
— Retornai aos vossos corpos e recordai-vos deste abençoado sonho no país da Realidade, dando-vos oportunidades para a conquista da paz.

Tomado de profundo sentimento de gratidão, o nobre benfeitor orou, exteriorizando aos Céus o reconhecimento profundo de todos nós.

De imediato, os participantes do encontro espiritual foram reconduzidos aos seus lares, à exceção de Jean-Michel, que seria deslocado para outro lugar, onde teria preparação para a futura reencarnação, mediante a qual daria início a uma nova etapa da sua vida.

A noite, que estivera recamada de estrelas cravadas no seu dossel de sombras, cedia lugar levemente ao rosto da manhã que lhe colocava as primeiras claridades do dia, como a anunciar novos programas de bênçãos para muitas vidas.

8
Atendimento Fraterno

Ao despertar, D. Eutímia se apresentava eufórica e otimista. Sentia que a sombra do receio havia sido diluída. Ainda no leito, começou a recordar-se do *sonho* que se apresentava como uma realidade de tal monta, que não pôde sopitar as emoções e, quando o marido acordou, solicitou-lhe um pouco de atenção, pois que necessitava falar-lhe.

Ali estávamos o instrutor Anacleto, Dilermando e nós. O benfeitor havia pensado em assisti-la naquele momento, a fim de que a sua memória não sofresse qualquer tipo de bloqueio que lhe impedisse a claridade do pensamento.

Assim, após os primeiros atendimentos higiênicos, sentaram-se ambos e, tranquilamente, inspirada pelo nosso orientador, narrou com naturalidade os acontecimentos da véspera, que a haviam excruciado, e o *sonho* de que fora objeto.

– Temia – disse ao esposo colhido de surpresa – *que explodisse um escândalo sem precedentes em nossa escola. A partir do momento em que surpreendera o sacerdote em atitude indecorosa havia perdido minha paz. Não quis perturbar-te antes de asserenar-me suficientemente, o que agora consegui.*

Havendo orado muito, fui conduzida ao mundo dos sonhos, onde me deparei com Mauro, outras pessoas, um anjo *misericordioso e um* demônio *de aspecto repelente e perverso.*

Silenciando, por um pouco, emocionada, permitiu-me reflexionar que, na sua interpretação do fato espiritual, as palavras eram colocadas conforme a crença religiosa em que se apoiava, de alguma forma sendo fiel ao que vira...

Continuando, explicou-lhe o desejo de manter uma entrevista com o senhor bispo da comunidade, acompanhada pelo esposo, assim resolvendo por definitivo a questão, e desincumbindo-se do dever, como lhe impunha a consciência pessoal, social e religiosa.

O marido, que era homem probo e austero, passado o choque inicial em torno do acontecimento, anuiu de boa mente em acompanhá-la no próximo domingo à residência episcopal, antes havendo assinalado uma entrevista com o respectivo senhor.

Enquanto se preparavam para enfrentar o dia de trabalho, o irmão Anacleto nos convidou para fazermos uma visita a Mauro.

Transladando-nos para a casa paroquial, encontramos o jovem desperto, absorto em profundo cismar. Recordava-se do acontecimento onírico com muita nitidez, mas, sobressaltado pelos efeitos danosos dos seus atos, receava as consequências que deles deveriam advir.

Resolvera não voltar ao educandário, ficando em casa, a fim de mais meditar e aguardar o que viesse a acontecer.

O amigo Anacleto acercou-se-lhe e, após saudar a mãezinha que permanecia de plantão, a fim de evitar a interferência de algum Espírito mistificador ou ocioso que por ali se encontrasse, falou mentalmente ao aflito sacerdote, enquanto o envolvia em fluidos salutares:

— Recolhe-te em oração. *Busca Jesus através do Evangelho e detém-te nos Seus momentos finais na Terra, quando, no Horto, enquanto todos dormiam, Ele sofria, apesar de estar em oração... Ele, que não tinha qualquer culpa, não recusou o cálice de amarguras. Assim, não penses em fugir dos calamitosos efeitos dos teus desmandos, procurando mecanismos de justificação ou precipitando-te em abismos de sombras demoradas. Levanta-te e segue no rumo da oração, entregando-te a Deus, que fará o que seja melhor para ti.*

Ante a ordem enérgica, que lhe repercutiu nos refolhos do pensamento, Mauro levantou-se, tomou do Evangelho e seguiu à igreja. Tremia, emocionado, pois se recordava dos episódios espirituais da madrugada; agora, mais lúcido, ante o psiquismo de Anacleto que o dirigia mentalmente.

Sensível ao registro de inspiração espiritual, pois que, por muito tempo, recebia-a com frequência de Entidades perversas, agora, mudando o direcionamento mental ao sintonizar em faixa mais elevada, conseguia captar a presença do mentor, que se lhe apresentava como um anjo da guarda, socorrendo-o naquele momento crucial da sua existência.

Buscou uma singela capela, na imensa igreja, desprovida de adereços e quinquilharias de que não necessita a memória dos Espíritos nobres, dedicada a um santo que parecia socorrer os desesperados, ajoelhou-se, porejando suor por todo o corpo, fechou os olhos e abriu o Evangelho.

O benfeitor conduziu-lhe os dedos aos momentos que precederam ao arbitrário arrastamento do Amigo sem amigos na direção dos Seus cruéis algozes. O texto assinalava a estada do Mestre no Horto das Oliveiras em plena agonia.

Mauro nublou os olhos com lágrimas sinceras de arrependimento e começou a ler, mergulhando profundamente o pensamento, talvez pela primeira vez, no conteúdo incomum e sublime daqueles instantes de dor e de rudes angústias do Condutor a Quem buscava servir.

Demorou-se em cada frase, perscrutou o sentido oculto de cada palavra, estabeleceu pontes com a sua conduta, recordando-se do Mestre que lhe dera a vida, enquanto permanecia *adormecido* na escabrosidade moral. Experimentou um grande sofrimento, um abatimento íntimo como nunca sentira antes. Passou a considerar a magnitude infeliz dos seus atos, e resolveu-se, custasse-lhe o que fosse, mudar de vida. Pensou em buscar a confissão com o seu bispo, narrar-lhe tudo, rogar-lhe auxílio e perdão, misericórdia e oportunidade. Estava, sim, disposto a recomeçar longe dali, distante do lugar da escravidão, em campo novo, abrindo o coração a Deus e ao serviço em favor da Humanidade.

Captando-lhe o pensamento por instruções do mentor, fomos colhidos pela nova e surpreendente decisão, que teria de partir dele mesmo, por isso que não lhe fora imposta ou aventada, nem sequer como hipótese, durante o encontro espiritual.

Estavam em feliz prosseguimento os planos delineados, quando o irmão Anacleto nos convidou a outras atividades, deixando o paciente entregue a si mesmo e às suas reflexões, pois que necessitava, mais do que nunca, de ouvir-se, de sentir o coração, de despertar para novos compromissos, e esse trabalho deveria ser exclusivamente seu.

A mãezinha, vigilante e quase feliz, assessorava o filho, envolta em vibrações de grande ternura.

Simultaneamente, ocorreu-lhe pensar na situação do marido desditoso que lhe infelicitara o filho. É certo que, após muitos atritos que mantiveram no reduto doméstico, que se transformara em área de batalhas doridas, ele houvera abandonado a família, e logo depois desencarnara, sem que ela houvesse tomado conhecimento da forma como sucedera o seu desenlace. Ao chegar ao Mundo espiritual, tomando conhecimento das aflições do filho, passara a assisti-lo, buscando evitar que sucumbisse totalmente à ação do mal. Mas o companheiro, indigno e doente, só agora lhe voltara ao pensamento. Por onde andaria Heraldo, o indigitado esposo e genitor cruel? Pensou, na circunstância em que se encontrava.

Nesse momento, alongando o sentimento em favor da vera fraternidade, que se estende envolvendo todos os seres, permitiu-se espraiar sua ternura e perdão em comovida oração em favor do revel, a fim de que fosse beneficiado, quando a paisagem de sombras começava a adornar-se de peregrina luz. Ele também merecia misericórdia e compaixão. Fora o intermediário físico do filho por ela muito amado, era também criatura de Deus, portanto credor de carinho e de amor. Assim, enquanto o filho viajava mentalmente na direção do Mestre Incorruptível, ela buscava o companheiro tresvariado que sucumbira ao peso das próprias arbitrariedades.

O dia alargou-se, facultando-nos ampliar os compromissos que nos diziam respeito.

A Instituição onde nos albergávamos mantinha um vasto programa de assistência espiritual às criaturas, além da ação da caridade ali exercida sob vários aspectos, realizando, concomitantemente, um bem programado serviço de atendimento fraterno a quaisquer pessoas que se apresentassem com necessidades, buscando ajuda.

O irmão Anacleto convidou-nos a acompanhar a faina dos obreiros devotados à caridade de iluminação de consciências e de direcionamentos para o equilíbrio, para a saúde, para a recuperação da paz.

A atividade reunia duas equipes: uma constituída por Entidades generosas e trabalhadoras e a outra pelos companheiros que militavam na Casa Espírita.

Haviam recebido treinamento espírita e psicológico e, periodicamente, eram reavaliados, reciclados, de modo que pudessem cooperar com bondade e discernimento doutrinário em favor dos muitos sofredores que buscavam orientação.

Em ambos os planos de atividade havia um responsável que se encarregava de orientar cada candidato, de forma que tudo transcorresse em harmonia e os resultados fossem os melhores anelados.

As pessoas que desejavam orientação eram reunidas em uma sala ampla, na qual recebiam esclarecimento espiritual, mediante a leitura e comentários de uma página espírita e recebiam passes coletivos.

Posteriormente, aqueles que desejavam informações mais profundas eram levados a diversas salas, nas quais recebiam atendimento pessoal, discreto e carinhoso.

O gentil instrutor sugeriu-nos acompanhar uma dama que chegara aturdida e apresentando um quadro obsessivo bem caracterizado.

Havia participado da primeira parte do atendimento, e agora deveria receber a orientação que buscava.

Uma senhora de aspecto gentil, aureolada por nívea claridade que dela se desprendia, recebeu-a gentilmente, deixando-a à vontade para o cometimento. Percebi que, inspirando-a, encontrava-se uma Entidade afável, que estava encarregada do mister do nosso *lado da vida*.

Sem ocultar o desespero que lhe inquietava, a dama foi direto ao drama existencial, elucidando:

— *Nada conheço sobre o Espiritismo. Faz muito tempo que me afastei de Deus, já que a religião que esposava não fora capaz de iluminar-me interiormente, ensejando-me a paz que tanto busco. Desculpe-me, pois, se não souber como conduzir-me nesta entrevista, que realizo por primeira vez.*

A atendente fraterna sorriu, explicando-lhe:

— *Esteja à vontade, sem qualquer preocupação. Afinal, aqui estou como sua amiga, propondo-me a ouvi-la com interesse e apresentar-lhe as respostas que o Espiritismo possui para os vários dramas humanos, naturalmente incluindo aquele que a aflige.*

Ainda ofegante, resultado da constrição de que era vítima habitual do seu perseguidor desencarnado, que se lhe afastara quando da dissertação ouvida e dos passes coletivos que haviam sido aplicados, esclareceu:

— *Minha vida tem sido um verdadeiro inferno. Seja sob o aspecto sentimental, econômico, social, com a saúde alquebrada, insônia e mil tormentos que me encarceram na revolta, tornando-me insuportável em casa, no trabalho, e principalmente comigo mesma; esses problemas alteraram completamente o meu comportamento...*

Fez uma pausa, tentando coordenar as ideias, e logo prosseguiu:

— *Alguém que se diz médium informou-me que estou obsidiada, e sugeriu-me que aqui viesse, a fim de conversar com o senhor Ricardo, que é um grande vidente e me poderá auxiliar.*

Alongou-se em mais algumas explicações desnecessárias, sem qualquer fundamento, e perguntou o que deveria fazer.

A senhora que a atendia sorriu com bondade e passou a explicar-lhe:

— *O nosso irmão Ricardo, ante a impossibilidade de atender a todos que lhe desejam falar, recebe somente aqueles casos mais graves, após uma triagem que fazemos os atendentes fraternais.*

— *Acredito que o meu é um caso muito grave, não?* — interrogou, ansiosa.

— *Sim* — redarguiu a entrevistadora —, *todos os problemas são sempre muito graves. Entretanto, uns existem com mais angústias e aflições, que requerem um atendimento especializado. Felizmente, estamos em condições de atendê-la, acalmando-a e diminuindo-lhe o impacto da informação que recebeu.*

— *É verdade que os Espíritos maus estão comigo, conforme me disse a tal da médium?* — indagou com sofreguidão.

— *Todos nós* — esclareceu a gentil ouvinte — *vivemos cercados pelos Espíritos. Eles são os habitantes do Mundo fora da matéria, como você compreenderá, porque são as almas das criaturas que viveram na Terra, agora desvestidas da indumentária material. De acordo com os nossos pensamentos atraímos aqueles que nos são semelhantes, ou sofremos os efeitos dos atos que praticamos na atual existência ou em outras que já tivemos. O Espírito viaja através de várias experiências corporais, colhendo na atual as realizações boas ou inditosas que defluem da anterior, assim desenvolvendo os valores que lhe dormem internamente e avançando no rumo da felicidade.*

Novamente sorriu, fazendo uma pequena pausa, a fim de facultar o entendimento da consulente, logo dando curso à explicação:

— *A reencarnação é o processo de evolução mais compatível com a Justiça de Deus, que a todos nos criou simples e ignorantes, facultando o crescimento conforme o livre-arbítrio de cada um na direção da plenitude que a todos nos aguarda. Não diria que a minha amiga e irmã é uma obsidiada... De certo modo, todos o somos, porque momentos há em nossas vidas em que o desequilíbrio nos toma conta, e atraímos Espíritos ociosos, perversos, vingativos, dos quais não sabemos como libertar-nos. Há, porém, um método irrefragável para conseguirmos o êxito em qualquer situação, que é o da oração e vigilância, recomendado por Jesus para todos. Acredito, sim, que você vem agindo sob inspiração perturbadora, como é natural, em face dos muitos problemas que relata, mas isso não a deve afligir, porque se encontra onde poderá receber reforço de coragem e recursos para a libertação.*

Novamente silenciou, dando tempo mental para que a outra assimilasse as informações fornecidas.

Mantendo-se serena e envolvendo a dama em vibração de simpatia e de paz, deu curso aos esclarecimentos:

— *Sugiro-lhe que leia* O Evangelho segundo o Espiritismo, *de Allan Kardec, a fim de encontrar conforto moral e paciência para os enfrentamentos do cotidiano. A sua leitura lhe fará um grande bem, em razão dos esclarecimentos que lhe proporcionará e das diretrizes necessárias à sua paz interior e, portanto, a uma vida feliz. Igualmente, proponho-lhe a terapia bioenergética, isto é: os passes, como aconteceu há pouco, antes da nossa conversação, com o que se fortalecerá para as lutas e os desafios. Por fim, sendo-lhe possível, venha conhecer as nossas reuniões de palestras e estudos do Espiritismo, nas quais adquirirá conhecimento para libertar-se não apenas dessa Entidade que a aturde, como também para auxiliar outras pessoas que se encontram na mesma situação aflitiva.*

Inspirada pelo Espírito lúcido que a assessorava, permaneceu jovial, respondendo a algumas outras indagações da senhora, que dali saiu renovada.

Antes de ser atendida, o responsável pelo trabalho anotou-lhe o nome e o endereço, com o objetivo de colocá-la entre aqueles que se faziam beneficiados pelas vibrações habituais das reuniões especializadas.

Em face dessa providência, o mentor espiritual da atividade também anotou os dados da consulente e entregou-os a um membro da equipe de visitadores desencarnados, a fim de que oferecesse a assistência conveniente à dama, conforme a sua receptividade ao que lhe fora informado.

Fiquei sensibilizado com essa medida de auxílio, que passa despercebida a muitos trabalhadores da Seara Espírita.

Observei que não fora necessário um interrogatório, que resulta dos atavismos religiosos do passado, nas incoerentes confissões auriculares, agora sob disfarce de estatística para futuros resultados; não havia ficha de identificação, na qual se anotassem os dramas das pessoas aflitas, desnudando-as aos olhos estranhos e deixando-lhes as confidências por escrito, para futuros estudos ou mesmo comentários, nem sempre felizes. Tudo era natural, conforme as disposições do pensamento espírita, que respeita a vida interior das criaturas.

Outrossim, percebi que o atendente fraterno buscava mais ouvir do que falar, orientando mediante a contribuição do Espiritismo, evitando as próprias conclusões e o que se convencionou denominar como *achismo*, mediante o qual se opina sem conhecimento de profundidade a respeito de tudo, apoiado no que se acha, no que se pensa, no que se conclui, nem sempre corretamente.

Não pude demorar-me em maiores considerações, porque mais uma senhora fora encaminhada a outra atendente, esta, porém, jovem e aparentemente sem maior soma de experiências.

A candidata ao atendimento apresentava-se mais perturbada do que aquela a que nos referimos anteriormente.

Sentou-se, inquieta, e explicou:

– *Não sei por onde começar, tal é a magnitude do meu drama.*

– *Faça-o conforme lhe parecer melhor* – respondeu, gentilmente, a jovem –, *sem pressa, sem inquietação. Aqui estou para ouvi-la com paciência e simpatia.*

– *Você é casada?* – interrogou, receosa.

– *Ainda não* – esclareceu, com um sorriso –, *mas isso não é importante. O que faz sentido é o conhecimento que tenho da alma humana, de alguns dos problemas que afligem as criaturas, em razão dos estudos espíritas que me tenho permitido, e, também, por ser psicóloga clínica.*

– *Oh! Que bom!* – exclamou a visitante. – *O meu caso é quase sórdido. Sou casada há mais ou menos dez anos e sempre mantive um relacionamento sexual equilibrado com o meu marido. Não me sentia plena, realizada, em nosso intercâmbio íntimo, mas pensava que era assim mesmo. As minhas amigas sempre me relatavam suas dificuldades, e resignei-me. Ultimamente, porém, percebo que o meu esposo se vem corrompendo muito, entregando-se a viagens mentais e visitas a motéis, acompanhando filmes eróticos e pornográficos, e exigindo-me uma conduta semelhante, o que me ultraja.*

Silenciou, constrangida. Passados alguns segundos, continuou, sofrida:

— *Agora, tornou-se-me insuportável o seu assédio, exigindo-me compartilhar das aberrações que vê nos filmes de prostituição e vulgaridade, o que me aterroriza, produzindo-me reações de ódio e nojo em relação a ele, a quem sempre amei. Não o desejo perder, mas sinto que, se não ceder às suas exigências descabidas e mórbidas, ele me abandonará. Que hei de fazer?*

A jovem meditou por alguns instantes e respondeu-lhe com brandura:

— *Este é, realmente, um momento muito importante para a preservação do seu matrimônio. Vivemos um período de perversões vis em nossa sociedade, que se vêm generalizando assustadoramente. O sexo tornou-se objeto de perturbação e de infelicidade. O matrimônio, no entanto, é um contrato social e moral, de resultados espirituais, unindo duas pessoas pelos laços do amor, a fim de edificarem a família, não podendo transformar-se em bordel de excentricidades profissionais. O companheiro, de acordo com a sua narração, encontra-se doente, e necessita de terapia com um sexólogo, a fim de refazer conceitos e reencontrar o equilíbrio, objetivando prosseguir feliz no lar.*

Não me cabe dizer-lhe o que deve fazer, neste momento, pois que seria assumir a responsabilidade da sua futura atitude. Cada um de nós tem a liberdade de pensar e agir conforme seja melhor para o próprio entendimento. Os resultados, porém, virão, inevitavelmente, e cada qual se verá a braços com o que haja desencadeado, num campo saudável ou num terreno ingrato... Não obstante, seria de bom alvitre que a amiga convidasse o esposo a uma conversação serena, explicando-lhe a questão conjugal sob o seu ponto de vista, informando-o sobre as suas reações e anseios, suas necessidades afetivas, que nada têm a ver com os comportamentos doentios ora em voga. Enquanto isso, indico-lhe a oração como recurso autoterapêutico que a fortalecerá para resistir às inconvenientes e descabidas exigências, mantendo-se serena e amando o companheiro, momentaneamente desajustado.

— E se ele não concordar? — interrogou, aflita. — *Perdê-lo-ei ou cederei?*

Mantendo a calma e a amabilidade, a jovem psicóloga respondeu:

— *Isso dependerá da sua estrutura emocional, dos seus valores morais, da sua constituição espiritual. Ninguém lhe poderá dizer o que fazer nessa situação delicada. Pense, amadureça reflexões e estude* O Evangelho segundo o Espiritismo, *de Allan Kardec, que lhe propiciará a visão correta dos fatos e da vida. Esse é um livro de conforto moral e espiritual. No entanto, considerando a sua claridade intelectual,* receitar-lhe-ia a leitura de O Livro dos Espíritos, *do mesmo autor, que lhe dará dimensão do que é a vida e como deveremos experienciá-la na busca da plenitude, explicando-lhe as razões dos acontecimentos no dia a dia e dos dramas existenciais que tanto nos afligem.*

...E volte aqui para uma nova conversa de reabastecimento. Se possível, venha conhecer o Espiritismo e seus paradigmas, suas lições, beneficiando-se com a psicosfera — sabe o que é? —, a atmosfera psíquica de amor e de paz que reina em nossos corações e em nossos atos. E se possível, convide o esposo, que muito se beneficiará convivendo em outro clima mental.

A dama, sinceramente confortada, que também fora beneficiada pelos fluidos do Espírito amigo que inspirava a atendente fraterna, pediu licença para abraçá-la, agradecendo com palavras repassadas de ternura.

Realmente, a função do Atendimento Fraterno, na Casa Espírita, não é a de resolver os problemas das pessoas que vão em busca de socorro, mas a de orientá-las à luz da Doutrina Espírita para que cada uma encontre por si mesma a melhor solução.

Outro Espírito gentil, que recebeu o nome e o endereço da senhora, acompanhou-a na saída da sala.

Nesse momento, um casal de meia-idade, assinalado pela amargura da face e a debilidade orgânica, acercou-se de um respeitável cavalheiro que aguardava o próximo cliente.

Percebendo a angústia de ambos, que se mantinham silenciosos e trêmulos, indagou, afável:

– *Em que lhes poderei ser útil? Posso imaginar a dor que os alanceia, em razão da aflição refletida nos seus rostos.*

Foi o suficiente para ambos se deixarem dominar pelas lágrimas. O atendente deixou-os extravasar, por alguns momentos, a angústia que os vergastava, após o que, propôs:

– *Não seria bom se pudéssemos conversar um pouco?*

A senhora, mais fragilizada, sem poder conter-se, olhou o marido e fez-lhe um sinal para que ele expusesse a razão pela qual ali se encontravam.

O companheiro, com voz pungida, explicou:

– *Perdemos o nosso filho único. A morte arrebatou-o em um acidente cruel, deixando-nos desalentados e sem razão para continuar a viver. Somente encontramos alívio pensando em morrer, porque a vida perdeu totalmente o sentido. Desejamos falar com o irmão Ricardo, para tentarmos saber se o nosso filho continua vivo, se pensa em nós, onde e como se encontra. Será possível?*

— *É claro que sim* — anuiu com gentileza o atento ouvinte. — *Antes, porém, permito-me informá-los que ninguém perde um ser querido, quando arrebatado pela morte. A morte não é o fim da vida, antes é o começo de uma nova etapa da Eternidade... Recordem-se de Jesus, morrendo na cruz, e da angústia de Sua Mãe. Logo após, no entanto, três dias, ei-lO de volta, ressurrecto e vivo, triunfante ao túmulo e afetuoso como sempre. Pensem n'Ele e entreguem-Lhe o filho, que, antes de lhes pertencer, o é também de Deus, o Pai de todos nós. Posso afiançar-lhes que ele está bem, caso o acidente de que foi vítima não haja sido resultado de imprudência ou desequilíbrio. Sempre, quando ocorre algo dessa magnitude, estamos diante do efeito de algum ato muito grave, cuja causa está no* ontem *próximo, nesta existência, ou remoto, em outra reencarnação... Desse modo, são felizes aqueles que retornam à Pátria, após cumprida a tarefa na Terra, seja qual for o mecanismo da desencarnação, conforme nós, os espíritas, denominamos a morte, que independeu do viajante espiritual querido.*

Depois de confortar por alguns minutos o casal sofrido, encaminhou-o ao atendimento especializado através do irmão Ricardo.

Enquanto dialogavam, o Espírito responsável pelo atendente aplicou-lhes, em ambos, energia refazente e calmante que os tranquilizou.

As consultas tiveram o seu curso normal, e eu não cabia em mim de contentamento. Ali estávamos em um ambulatório de emergência espiritual para atendimento aos sofredores e desafortunados da Terra, sem complexidades nem exigências descabidas, nos quais o amor, a vera fraternidade, a compaixão e a caridade davam-se as mãos, em tentativas felizes de bem servir.

O irmão Anacleto acercou-se-me, sorridente, e acentuou:

– *Quando o amor dirige os sentimentos e o pensamento, as ações, inegavelmente, são corretas e dignificadoras. O Espiritismo é a* chave *que decifra os enigmas existenciais. Vivê-lo com simplicidade, desvesti-lo das complexidades com que algumas pessoas desejam envolvê-lo, por preferirem sempre as complicações ao equilíbrio, é dever de todos nós, encarnados e desencarnados, que lhe somos afeiçoados.*

Aguardaremos a noite, a fim de acompanharmos o atendimento do nosso Ricardo, que deverá receber as pessoas que lhe foram encaminhadas.

9
Lutas e provações acerbas

A tarde declinava em estertores de calor. O Sol formoso deixava o seu leque de luz amarelo-avermelhada coroar as nuvens brancas em movimento, desenhando painéis de luz incomparáveis.

O mentor convidou-nos a seguir ao palácio episcopal, para onde seguira Mauro, havia poucos minutos. Adentramo-nos na casa palaciana, cujas paredes, revestidas de seda brilhante, estavam adornadas com telas de grande beleza, exibindo o luxo e o poder terreno, o piso recoberto por tapetes espessos e mobiliada a caráter e capricho. Era minha primeira visita a um solar daquela natureza. Não tivemos dificuldades para encontrar o amigo que aguardava ser recebido pelo senhor bispo, a quem rogara urgente entrevista.

Transcorrido o tempo próprio, Sua Eminência apareceu, sorridente e agradavelmente surpreendido com a presença do sacerdote que lhe recebia a simpatia e a amabilidade, porque o reconhecia com possibilidades amplas para o serviço religioso, adicionando a sua aparência física, a sua inteligência brilhante e o seu magnetismo.

O jovem, não podendo ocultar o conflito, solicitou ao dignitário que o recebesse em particular, pois necessitava do conforto de urgente confissão.

Tomado de surpresa, o pastor religioso interrogou se o assunto era tão grave, no que foi informado positivamente.

Convidando-o à intimidade da capela interna, que era mantida no edifício para celebrações particulares e reflexões pessoais, preparou-se, seguindo a convenção do ritual, persignou-se e aguardou.

O jovem aproximou-se, ajoelhou-se-lhe aos pés, e cobrindo o rosto com as mãos, em tentativa infantil de ocultar a vergonha que o vergastava, desabafou:

— *Pequei... e pequei gravemente. Para o meu erro não sei se há perdão. O meu é o crime mais vergonhoso que pode acontecer, e quase não tenho forças para confessá-lo.*

Profundamente chocado, o confessor, preservando a serenidade, solicitou-lhe a narrativa, antes que o julgamento para o qual não tinha condições, ouvindo, estupefacto, detalhe a detalhe, toda a trajetória de ações ignóbeis realizadas pelo seu sacerdote. Agitou-se, mais de uma vez, fazendo esforço para controlar-se, ante a desesperação que o assaltou. Jamais imaginaria tão grave ocorrência no seio do seu rebanho e, especialmente, em alguém que fora preparado para ser pastor. Conteve-se, rogando silenciosamente a proteção de Jesus. O infeliz nada ocultou, descendo a esclarecimentos, alguns escabrosos, até a ocorrência da véspera, quando pensava em cometer mais um terrível pecado, havendo sido surpreendido pela diretora do educandário, que o mandou sair, e não sabia o que estava acontecendo desde então...

A narração foi dolorosa para ambos. A experiência, porém, do senhor bispo, e a sua sinceridade no cumprimento do dever ante a religião que professava, puderam proporcionar alguma indicação para a tragédia existencial do atormentado rapaz.

Com a voz embargada, o dignitário interrogou:

— *Mais alguém está informado desses nefandos acontecimentos?*

— *Que eu saiba, não, Eminência* — respondeu o jovem em lágrimas.

— *Apenas dona Eutímia tem conhecimento deles?* — voltou a indagar.

— *Penso que sim* — contestou, sucumbido, o rapaz.

— *Então aguardemos, porque amanhã deverei atendê-la e o esposo, que me solicitaram uma audiência. Estamos diante de uma situação lamentável e insuportável. Como pôde, por tanto tempo, viver uma existência de abominação de tal monta, sem nada comunicar ao seu confessor? Que tem feito da fé religiosa que abraça e denigre com a sua conduta desvairada? Onde pôs o coração, ferindo vidas em formação e desencadeando a ira celeste? Que espera da Igreja, que vem sofrendo inconcebíveis perseguições, em face da fuga dos seus sacerdotes e monjas, que abandonam os compromissos e se entregam à dissolução dos costumes modernos? Tenho a impressão de que o demônio está desafiando o trono de São Pedro, corroendo-o internamente. Volte ao lar e submeta-se à penitência que lhe irei estabelecer, enquanto ouvirei a digna senhora e o seu esposo, para tomarmos as providências que o fato horrível exige.*

Após um silêncio constrangedor, o bispo informou:

— *Não poderei absolvê-lo do pecado, sem conhecer a outra face da questão, que certamente me será narrada amanhã, exigindo-me meditações e consultas aos códigos do Direito Canônico, para posterior definição de rumos. Por agora, recolha-se à casa paroquial, não celebrando qualquer ato litúrgico, cuja suspensão será justificada como decorrência de alguma enfermidade, até segunda ordem, quando o chamarei para apresentar-lhe o resultado das providências tomadas.*

Que Deus o perdoe e ampare, porque eu não tenho condições de fazê-lo. Vá em paz e não volte a piorar a própria situação, repetindo a sandice.

O jovem levantou-se cambaleante, muito pálido, tomando o rumo do lar.

O senhor bispo era um homem dedicado e sincero em relação àquilo em que acreditava, exercendo o seu apostolado com elevação e nobreza. Certamente conhecia as misérias humanas, que lhe chegavam aos ouvidos com frequência, em razão das confissões auriculares... O trágico drama do seu sacerdote, porém, feriu-o profundamente. Homem de idade, com quase toda a existência dedicada ao pastoreio, acreditava nos dogmas da sua fé religiosa e nas diretrizes da sua igreja.

Assim, após a saída do jovem atônito, também ele, encurralado pelos conflitos, aproximou-se do altar-mor e ajoelhou-se, mergulhando nas águas bonançosas da oração ungida de contrição. Ali ficou por mais de uma hora, quando se levantou, a fim de atender aos demais compromissos que lhe diziam respeito. A confissão do desesperado, porém, continuava ressoando na acústica da sua alma sensível.

Aproximava-se a hora que deveríamos dedicar a outras atividades e, desse modo, retornamos à Instituição Espírita, a fim de acompanharmos o atendimento fraternal sob a responsabilidade do médium Ricardo.

Era dia de atividade doutrinária. A ampla sala encontrava-se repleta. No momento próprio, o médium dissertou com facilidade e beleza sobre o tema *Conquista da consciência ante o conhecimento espírita*.

As pessoas acompanhavam o raciocínio do expositor, extasiadas umas, comovidas outras... e cochilando algumas vinculadas a Entidades que as anestesiavam para que, embora presentes, não participassem do aprendizado, não fruíssem as energias salutares que mantinham a psicosfera ambiente.

Transcorrida uma hora, mais ou menos, após o encerramento da reunião doutrinária, as pessoas passaram a conversar fraternalmente, preservando o ambiente de simpatia e de bem-estar, enquanto os candidatos ao atendimento com o médium acomodavam-se em lugares adredemente reservados, facultando um pouco de refazimento ao amigo expositor.

Ato contínuo, começou a atividade espiritual relevante.

Alguém se encarregava de convidar a adentrar-se em pequena sala cada um daqueles que haviam sido selecionados.

Jovial e de bom humor, o médium recebia-os, amparado pela sua mentora, e conversava com tranquilidade, transferindo energias saudáveis aos aflitos, que se acalmavam, esperança aos alucinados e cépticos, paz aos desesperados que saíam com outras disposições, bendizendo a Deus a oportunidade da breve convivência.

Como desejávamos acompanhar-lhe o atendimento ao casal cujo filho desencarnara de maneira intempestiva e trágica, ao chegar o momento procuramos perscrutar o que iria ocorrer.

Os pais aflitos adentraram-se na pequena sala, apoiando-se um no outro. Convidados a sentar-se em frente do médium, permaneceram em singular silêncio, no qual extravasavam sem palavras toda a angústia da saudade, toda a dor da separação.

Compreendendo o que se lhes passava no íntimo, após saudá-los com bondade, o médium informou-os:

– *A morte é a grande libertadora que nos merece respeito e carinho. Não poucas vezes revoltamo-nos com a sua ocorrência, quando nos toma o ser querido, aquele que é a luz dos nossos olhos, o hálito da nossa existência, levando metade da nossa vida com aquela que arrebata... Tudo isso tem lugar, porque não conhecemos a Imortalidade. Quando a luz do Mundo maior clarear nossas mentes e pudermos compreender que morrer é libertar-nos, facultando que volvamos a estar juntos mais tarde, a morte será bem-vinda, não constituindo tragédia nem motivo de aflição.*

O casal ouvia-o surpreso, pois nada lhe houvera dito. Olhavam-no com simpatia e esperança, quando ele prosseguiu:

– *Marcos, o filho querido, não morreu. Transferiu-se para um Mundo melhor, sem dores, sem separação e sem amarguras... Ele aqui está conosco. Posso vê-lo e ouvi-lo...*

O pranto represado nos corações explodiu, agora em júbilos. A senhora levantou-se, num gesto intempestivo, segurou-lhe as mãos e interrogou:

– *Meu filho está vivo e está conosco? Como se encontra? Sente saudades de nós?*

O esposo ergueu-se também, abraçou-a e procurou acalmá-la.

Ricardo, que se comovera ante a dor-alegria da senhora, continuou com tranquilidade:

– *Ele se encontra muito bem. Já se recuperou do transe experimentado após o acidente. O que parece um grande mal foi, em realidade, uma bênção. Desejo informá-los que a sua foi uma desencarnação ou morte por merecimento... Ele partiu, porque não mereciam, nem ele, nem os senhores, sofrer, caso permanecesse no corpo. O traumatismo craniano de que foi vítima, se ele permanecesse no corpo, faria que ficasse como um morto, apenas em vida vegetativa, e como o Pai é Todo Amor, amenizou a dor de todos, reconduzindo-o ao Lar, onde os aguarda em festa, porém após os senhores concluírem os seus deveres que os manterão no mundo, já que ainda não é chegado o momento do seu retorno. Ele agradece todo o carinho que sempre recebeu dos pais queridos, a felicidade que desfrutou durante toda a existência, que não foi longa, porém o suficiente, nos seus vinte e seis anos, para realizar as metas que havia traçado.*

O casal saía de uma para outra emoção-surpresa ante as naturais informações recebidas, que os convidavam a reflexões dantes jamais pensadas, agradecendo a Deus a oportunidade especial, que nunca mais esqueceriam, e que iria mudar completamente o rumo das suas existências.

Ricardo referiu-se também ao auxílio que ele recebera ao desencarnar, quando a avozinha materna o recebera, amparando-o naqueles momentos iniciais mais difíceis. Ali também se encontrava, envolvendo a filha e o genro em dúlcidas vibrações de carinho e de paz.

Por mais alguns minutos manteve cordial conversação, rica de esperança e de esclarecimentos, oferecendo páginas mediúnicas de conforto moral e sugerindo que tomassem conhecimento dos postulados espíritas nas suas Obras básicas, que lhes fariam um infinito bem.

Aqueles corações, antes despedaçados, experimentavam agora um pulsar diferente, renovador e, vitalizados, com palavras de profunda gratidão, saíram, sorrindo de felicidade, em retorno ao lar.

O irmão Anacleto, sempre generoso, veio em meu socorro com as suas lúcidas explicações:

– A mediunidade com Jesus é uma ponte de duas mãos que faculta a viagem de ida na direção do Senhor e traz a mensagem de volta em Seu nome. Por mais se deseje encarcerar o Espiritismo nas facetas científica e filosófica, dissociando-o dos seus conteúdos ético-morais-religiosos, ele sobreviverá como O Consolador *que Jesus nos prometeu, conforme bem o definiu Allan Kardec sob a segura orientação dos guias da Humanidade. Como vemos, aqui não há qualquer culto ou cerimonial, intrujice ou igrejismo, superstição ou sacerdócio que caracterizam outras religiões. Verificamos nesta e em milhares de instituições iluminadas pela Doutrina Espírita a ausência de quaisquer símbolos ou motivos de sugestão que induzam o interessado em crer sem compreender e aceitar sem raciocinar nos seus conteúdos. A dor, que despedaça as multidões, aguarda fatos e não discussões infrutíferas, socorro imediato e consolação antes da alucinação, em vez de aguerridos combates silogísticos críticos, enquanto se cruzam os braços distantes da ação recomendada pelo codificador e os Espíritos nobres para a caridade nas suas múltiplas expressões, sem a qual de nada adiantam os debates intelectuais presunçosos e vazios de conteúdos moral e espiritual.*

Após reflexionar por breves momentos, chamou-nos a atenção, apontando as pessoas que se adentravam na sala modesta em grande desespero e saíam renovadas, qual ocorrera durante o atendimento fraterno e a exposição doutrinária.

— *Essa é a melhor parte* — aduziu ainda gentil —, *conforme o ensinamento do Mestre a Marta, aquela que não será tirada.*

Agora, voltemos à casa paroquial, a fim de atendermos Mauro, no desespero que o assalta, neste doloroso despertamento para a realidade.

10
Recomeço difícil e Purificador

A noite avançava com o seu crepe escuro bordado de estrelas lucilantes muito ao longe.
O silêncio invadia a cidade, somente interrompido pelas onomatopeias naturais e a movimentação de alguns transeuntes noctívagos.

A casa paroquial estava mergulhada em sombras, quebradas apenas por algumas velas acesas diante de ídolos impassíveis em relação aos sofrimentos humanos. Como podiam, realmente, aquelas estátuas trabalhadas com beleza e quase perfeição entender o drama e a agitação dos homens inquietos e aturdidos no báratro existencial? Fossem representações legítimas daqueles que se houveram dedicado ao bem e ao culto do dever, quando na Terra, com o único objetivo de estimularem a mente a direcionar-se-lhes, tornava-se exequível. No entanto, o culto àquelas imagens sobrepunha-se à vinculação com as pessoas desencarnadas que pareciam representar, permanecendo inútil.

Mauro encontrava-se alquebrado. Parecia haver envelhecido em poucas horas, após a confissão e o sincero arrependimento que o dominava. Embora estivesse em atitude de angústia, buscando Deus com o pensamento, sentia-se confrangido e envergonhado sob o trucidar da culpa.

Repassava pela memória os acontecimentos da infância e a figura do genitor se destacava no caleidoscópio das recordações. Apresentava-se hediondo e infernal, debochado e insensível ante a aflição do filho, que submetia à selvageria sem qualquer respeito pelo ser humano ou compaixão pelo rebento da própria carne.

À medida que aprofundava a mente nas evocações perturbadoras mais se afligia, não podendo dominar o caudal de lágrimas que lhe escorriam pelas faces ardentes, quase em febre de horror por si mesmo.

Vimos, então, acercar-se-lhe um indigitado perseguidor que, utilizando-se da angústia que dominava o sacerdote, começou a transmitir-lhe telepaticamente ideias de fuga do corpo físico.

O irmão Anacleto, sempre vigilante, solicitou-nos que nos concentrássemos no *chakra cerebral* do paciente e, ao fazê-lo, pude captar a indução pertinaz e contínua:

– *A solução para tal crime é o suicídio, porta aberta para a liberdade* – pensava o sofredor telementalizado pelo ignorado inimigo oculto. – *Como enfrentar a vergonha, a humilhação, o opróbrio geral? E se a massa humana, sempre sedenta de sangue, em tomando conhecimento da hediondez resolvesse fazer justiça com as próprias mãos? Nunca faltaria quem desse o primeiro grito em favor do linchamento, e logo as feras se atirariam furiosas contra a vítima que seria destroçada sem qualquer piedade. Só o suicídio poderia resolver-lhe o drama perverso.*

Fui tomado de espanto ante a habilidade do indigitado inimigo. Ele não se permitia trair, parecendo ser alguém que estivesse interessado na destruição do adversário, inspirando-lhe de tal forma a ideia da morte como se lhe nascesse no íntimo atribulado. Fixando-o, transmitia-lhe a ideia da fuga como solução, fazendo crer tratar-se de uma autorreflexão e nunca de uma alossugestão.

Mediante esse comportamento, fazia o enfermo supor que a atitude desejada era lógica e, portanto, credível de aceitação.

Mauro recordou-se de uma jovem que lhe trouxera, através da confissão, a narrativa do desespero em que se asfixiava ante a gravidez inesperada de que se encontrava objeto. Repudiada pelo amante que lhe abusara da confiança, e sabendo que a família jamais lhe entenderia a situação, tanto quanto receando os preconceitos sociais então vigentes, recorrera-lhe ao auxílio, por não encontrar outro caminho exceto o do autocídio.

Ante o próprio conflito, que já o atormentava na ocasião, tentou dissuadi-la do gesto tresloucado sem muita convicção, sentindo-se fracassado, porque, logo depois, na noite imediata, a infeliz recorrera à morte mediante o gás que abrira e deixara-se anestesiar no quarto de banho, onde antes tivera o cuidado de vedar todas as saídas e entradas de oxigênio.

Reflexionando e, ao mesmo tempo, com a mente invadida pelo algoz, concluía, sem poder perceber que estava sendo vítima de uma consciência entenebrecida:

— *O suicídio através do gás é repousante, sem dor e sem tormento, facultando ao desditoso adormecer para adentrar-se no* país do nada *ou no* inferno *sem retorno.*

Essa reflexão sacudiu-o, e ele recordou-se da fé religiosa que abraçava, dando-se conta de que não a tinha em alta consideração, como o demonstravam sua conduta e seu pensamento inseguro.

Estimulando-o à ação devastadora, o inimigo ia-lhe assenhoreando-se do pensamento, com o propósito de tomar-lhe o centro dos movimentos e acioná-lo para que executasse o plano covarde de fuga, quando o mentor, percebendo a aflição da genitora de Mauro, em pranto e em prece, acercou-se-lhe e esclareceu:

— *Nesta emergência, vemos apenas uma solução de imediato, que é a querida amiga acercar-se do filho, apresentar-se-lhe, e despertá-lo para a realidade.*

De imediato, concitou-nos, a mim, a Dilermando e a dona Martina, que nos concentrássemos firmemente, oferecendo-lhe energias próprias para o cometimento, enquanto sugeria-lhe que focasse o campo mental do filho e o chamasse nominalmente, várias vezes, com o que ela anuiu, confiante.

— *Mauro, meu filho* – chamou com energia a mãezinha desencarnada –, *desperte! Mauro, ninguém morre. Recorde-se, neste momento, de Jesus.*

A nova onda mental penetrou o cérebro do aturdido sacerdote, que experimentou um choque vibratório por todo o corpo, percorrendo-o pelo dorso espinal e fazendo-o despertar do letargo doentio.

Ante a força poderosa do pensamento de amor aureolado pelas vibrações defluentes da prece, o adversário desencarnado experimentou a forte reação nervosa do paciente que lhe desconectou o *plug* fixado à mente, que lhe ia cedendo campo ao convite desnaturado.

Só então percebeu-nos a todos que o contemplávamos com expressão de misericórdia e de compaixão.

Experimentando um estado superior alterado de consciência, Mauro pareceu escutar o apelo materno e, inesperadamente, pôde detectá-la à sua frente com os braços distendidos em atitude de quem desejava afagá-lo, tombando de joelhos e exclamando:

– *Mamãe, é você ou algum anjo do Senhor que veio em meu socorro?*

– *Sou a tua mãezinha de sempre, que retorna como anteriormente, a fim de ajudar-te neste instante grave da tua existência.* O Senhor deseja a morte do pecado, *nunca a do* pecador. *Não há mal para o qual não exista remédio, nem ação nefanda que possa ser considerada irrecuperável. Para e pensa! O teu é um erro hediondo, mas o Amor do Pai é infinito e pode albergar todos os crimes para diluí-los, ajudando os criminosos a se recuperarem a fim de auxiliarem as vítimas que infelicitaram.*

O rapaz estava confuso, num misto de alegria e de sofrimento, convulsionado pelo pranto e *ardendo em febre* de desespero.

Dando prosseguimento, ela se fez mais enfática:

– *Este é o teu momento de redenção, meu filho. Foi longa a marcha degradante que te permitiste, e que agora te exige uma recuperação demorada e de sublimação. Não te recuses ao dever de sorver a taça na qual apenas depositaste fel, vinagre e mirra. É o teu momento de expiar, nunca de fugir para lugar nenhum, porquanto o suicídio somente piorará o quadro das tuas aflições. Aproveita este breve instante e recompõe-te mentalmente, preparando-te para experimentares as mais cruas dores e rudes humilhações, afinal decorrentes dos teus próprios atos, mas que te oferecerão os meios para ajudares a todos quantos feriste os sentimentos de pureza e de dignidade, conferindo-te meios para a ascensão que te aguarda. Entrega-te a Jesus e n'Ele confia. Nunca desfaleças e crê no divino auxílio. Até breve, meu filho!*

Mauro desejou prolongar aquele colóquio quase sublime, mas não teve tempo, porque a figura veneranda começou a desvanecer-se, deixando a suave sensação de paz no coração dilacerado do jovem, enquanto dúlcidas vibrações de paz invadiam o recinto como resposta dos Céus às aflições e preces da Terra.

Não suportando a cena de ternura, o réprobo e perseguidor sandeu retirou-se blasfemando, furibundo.

Mauro deitou-se para melhor introjetar tudo quanto lhe acabara de ocorrer e fixá-lo para sempre na memória e no coração.

Um lânguido torpor foi-lhe tomando todo o corpo e, poucos minutos após, dormia tranquilamente.

A mãezinha feliz continuou a velá-lo, enquanto, convidados pelo distinto Anacleto, retornamos ao núcleo onde nos hospedávamos.

Nesse comenos, quando seguíamos na direção da Casa de amor e luz, utilizando-me da proverbial bondade do amigo, interroguei-o:

— De quem se tratava a Entidade que induzia Mauro ao suicídio? Isto porque, em nossa convivência naqueles poucos dias não tivera oportunidade de conhecê-la.

Não se fazendo esperar, o amigo generoso esclareceu:

— *Conforme nos recordamos, Madame X celebrizou-se no período napoleônico pela insensatez e cobiça, utilizando-se da sua mansão-bordel para as extravagâncias nas quais infelicitou muitas pessoas. O infeliz, que ora a induz ao suicídio, embora se encontre na roupagem carnal de Mauro, é mais um daqueles que foram dilapidados nos sentimentos e trucidados na razão, em face do desbordar de paixões que a infeliz proxeneta de luxo se permitia na sua* corte *de depravados, na qual misturava favores sexuais com interesses políticos, tornando-se agente de conciliábulos perversos, que mutilaram muitas pessoas. Vitimado, naquele período, pela astúcia de um inimigo junto à política vigente, Madame intermediou a sua queda, conduzindo-o a uma armadilha muito bem urdida, na qual perdeu a existência corporal, além de ter enlameada a memória.*

Silenciando rapidamente, concluiu:

— *Quando as criaturas derem-se conta da gravidade do crime e das suas consequências, pensarão sempre com muito cuidado antes de assumir ou criar situações perversas e infelicitadoras para as outras, que sempre redundarão em desdita para si mesmas.*

Naquele momento chegamos à Instituição, que me chamou a atenção para o número de Espíritos que ali se encontravam em verdadeira azáfama.

Alguns acorriam ao salão doutrinário, onde, logo mais, deveria ser realizada uma conferência por abnegado espiritista desencarnado, que realizara na Terra expressiva tarefa de divulgação dos postulados exarados na Codificação.

O número de encarnados em desdobramento parcial pelo sono, que ali se encontravam, era expressivo, os quais se misturavam aos libertados do corpo através da morte física. Muitos desencarnados buscavam os setores de socorro aos que deambulavam na roupagem carnal, e os seus familiares vinham em busca de auxílio para os mesmos antes que se comprometessem irreversivelmente. Outros mais, caminhantes do carreiro orgânico, eram enfermos que estiveram no centro médico da Entidade durante o dia e, após orientados pelos esculápios, que também lhes falaram das interferências espirituais que geram distúrbios de vária ordem, procuravam atendimento específico. Diversos outros conduziam seus filhos que frequentavam as escolas da Casa e necessitavam de terapias espirituais, a fim de terem diminuídos os seus sofrimentos, melhorando-lhes a capacidade de entendimento e compreensão das aulas que lhes eram ministradas. Espíritos com os sinais e características dos desgastes orgânicos apresentavam-se ansiosos, necessitados de orientação e apoio, de forma que conseguissem concluir a reencarnação com dignidade e proveito... Enfim, toda uma *colmeia* de ação ordenada prosseguia em incomum movimentação.

Ao lado desses, grupos de desencarnados em sofrimento eram convidados e conduzidos aos diferentes setores de triagem para melhor atendimento, ao mesmo tempo que, perturbadores e viciosos, embora sem dar-se conta, também eram encaminhados aos núcleos onde poderiam ser recebidos e ajudados.

Tudo respirava o oxigênio do amor e da vida, enquanto o silêncio e a noite amortalhavam no sono físico os homens e mulheres recolhidos aos lares.

Não obstante a movimentação enriquecedora, caracterizada pela ação do bem e da caridade, não nos detivemos em qualquer daqueles setores onde se encontravam os necessitados. O irmão Anacleto seguiu diretamente à sala mediúnica, já nossa conhecida, na qual deveria desenvolver-se o estudo para uma ação meritória que teria lugar posteriormente. Assim, acompanhamos o amigo e adentramo-nos pelo recinto dedicado ao intercâmbio com o Mundo espiritual, que se encontrava igualmente repleto. Não era uma reunião como as anteriores, que tinham por objeto atender aos desvarios dos desencarnados em comunicações mediúnicas. Ali se encontravam alguns Espíritos nobres acompanhados de assessores, que deveriam discutir uma questão de importância que se iria delinear.

À chegada do benfeitor, todos se rejubilaram. Pude então detectar a sua superioridade espiritual, que se apagara para estar conosco e atender ao apelo de dona Martina, em favor do filho desorientado e enfermo.

Após as saudações e apresentações, conforme sempre também acontece na sociedade terrestre, o recém-chegado expôs:

– *Esta reunião tem por objetivo o estudo de um plano delicado, em benefício de um Espírito que, há várias décadas, experimenta o horror na cidade das paixões servis, que auxiliara a erguer antes de mergulhar no corpo e para onde retornou após a turbulenta desencarnação. Pelas circunstâncias em torno da gravidade do cometimento, todos nos deveremos ungir de sentimentos de compaixão e de misericórdia para com os sicários que com ele convivem, de modo que nos recordemos da imprescindibilidade da oração e da vigilância, tendo em mente que todos somos Espíritos imperfeitos em processo lento de renovação e de crescimento para Deus.*

Silenciou por alguns breves segundos, e logo prosseguiu:

– *Pela magnitude do labor, deveremos formar um só bloco de pensamento, de forma que nos seja possível atravessar as barreiras defensivas da comunidade de perversão, para ajudar sem censura, ali estagiando sem nos contaminarmos, realizando o mister para o qual a visitaremos com os propósitos elevados de bem servir.*

Fazendo uma pausa oportuna, a fim de ampliar o campo das explicações, referiu-se:

— *A História conta-nos complexos e variados comportamentos atribuídos ao Marquês de Sade, de dolorosa e perturbadora memória. Considerado por uns como grande novelista, por outros é tido como um atormentado portador de distúrbios mentais e emocionais, especialmente no que diz respeito à conduta sexual, que passou à posteridade como praticante de tormentosas aberrações no campo da sodomia e de outras criadas pelo seu desvario. A grande verdade é que descendia de uma família das mais nobres e distintas da Provença, nascido em Paris, havendo, na juventude, ingressado na cavalaria aos catorze anos, de onde saiu na condição de segundo-tenente, fazendo parte do regimento do rei. Logo após, durante a Guerra dos Sete Anos, na Alemanha, alcançou o posto de capitão. Em 1763, havendo regressado à França, seu país natal, casou-se com uma das filhas do presidente Montreuil, havendo sido, de alguma forma, enganado, porque amava a outra filha, a mais jovem, que a família encaminhara ao convento, causando ao capitão um grande desgosto e arruinando-lhe a vida interior. Posteriormente, ele deu início aos tremendos atos de desregramento moral, através de um escândalo inicial que o envolveu com uma jovem, que fora barbaramente maltratada, o que impôs ao marquês o seu encarceramento no Castelo de Saumur.*

O bondoso e sábio amigo silenciou por um pouco, como se desejasse sintetizar a história tormentosa do infelizmente célebre marquês, logo dando prosseguimento:

Nasceu como Donatien-Alphonse François de Sade, herdeiro dos títulos de conde e de marquês. Depois do inditoso acontecimento foi transferido para o cárcere em Lião, ali ficando por breves seis semanas, logo posto em liberdade, o que lhe facultou nova prática hedionda em Marselha, crime esse que lhe valeu a pena de morte pelo Parlamento de Aix, tendo-se em vista a barbaridade com que o mesmo fora praticado. Liberado da condenação, hábil, como era, nas artimanhas de que se utilizava, conseguiu seduzir a cunhada, retirando-a do convento, e fugindo com ela para a Itália. Os bons fados, porém, não lhe foram favoráveis, porque, logo depois, a mulher que parecia amada desencarnou, e ele tentou voltar à França, havendo sido novamente preso, e fugindo após, de forma que pôde dar prosseguimento à sua existência insensata e degenerada. Foi novamente preso e liberado, para, por fim, ser encarcerado em Paris e encaminhado à Bastilha. Aqueles eram, porém, dias pré-revolucionários, e ele, utilizando-se de maquinações bem elaboradas, que o caracterizavam, improvisou um tubo, através do qual conseguia gritar impropérios e narrar supostas perseguições como maus-tratos de que seriam vítimas os encarcerados no velho castelo. Posteriormente, passou a escrever em folhas de papel que atirava pelas grades, narrando supostas atrocidades que sofria com outros prisioneiros, havendo sido considerado, de alguma forma, um inspirador *ou* estimulador *da Revolução de 1789, especialmente havendo contribuído em favor da destruição da hedionda prisão. Anteriormente, no entanto, houvera sido internado no asilo para alienados mentais de Charenton, de onde foi liberado graças a um decreto da Assembleia Constituinte.*

    Novamente o nobre Espírito silenciou. Podíamos notar-lhe a emoção, feita de compaixão e de misericórdia, em favor da desnaturada personagem, para logo concluir:

— *A esposa abandonou-o, não mais o suportando, embora também a vida desregrada que se permitira, resolvendo-se recolher a um convento, a fim de expiar a conduta reprochável. Sentindo-se livre do cárcere e do matrimônio, o marquês, já idoso, teria levado o restante da existência de maneira moderada, ainda segundo alguns biógrafos, vivendo pelo próprio trabalho, deixando um imenso legado de obras, principalmente comédias que foram representadas em Paris e em Versailles, licenciosas e autobiográficas das práticas que realizara. Embora expressiva e volumosa, a sua literatura não se destaca pela qualidade, mas certamente pela vulgaridade. Desencarnou louco no manicômio de Charenton, para onde fora levado, após uma longa existência de 74 anos mal aproveitados. Os seus desregramentos deram lugar a uma designação derivada do seu nome para um tipo de perversão sexual, que passou a ser conhecida como sadismo.*

11
Retorno à cidade pervertida

O benfeitor encontrava-se algo preocupado. Para aquela reunião fomos convocados nós outro, Dilermando, o médium Ricardo, acompanhado pela sua mentora, o psicoterapeuta espiritual Felipe e mais alguns assessores, formando um grupo de oito desencarnados e dois reencarnados.

Respirava-se uma atmosfera de paz, embora todos pressentíssemos a gravidade do cometimento que se estava delineando.

Guardava vivas na memória as imagens degradantes e sombrias que tivera ocasião de encontrar na cidade da perversão, podendo detectar que nova excursão se fazia necessária, a fim de melhor entender as ocorrências da obsessão em referência às condutas sexuais desregradas.

Convidada a proferir a oração, que deveria assinalar o início das atividades espirituais, a nobre benfeitora madre Clara de Jesus concentrou-se e, à medida que se interiorizava, transformava-se em um foco de suave claridade azul-violeta com graduações de difícil definição.

A meiga voz adquirira tonalidades musicais penetrantes, e ela exorou:

— *Amoroso Jesus, Companheiro dos desditados e esquecidos! Evocando a Tua jornada terrestre, quando desceste ao abismo das misérias humanas, a fim de nos ergueres ao esplendor da Tua morada, também nós, servos imperfeitos da Tua seara, preparando-nos para ascender no Teu rumo, através do mergulho no dédalo das aflições espirituais, vimos suplicar-Te apoio e inspiração.*

Dulcifica-nos interiormente os sentimentos, alargando as nossas possibilidades de amor, de modo que auxiliemos sem exigências, participemos das angústias do próximo sem nos entristecermos e, sejam quais forem as circunstâncias em que se encontrem os irmãos do carreiro da agonia, não nos permitamos julgá-los ou censurá-los, compreendendo-os sempre, sem o que estaremos incapacitados para servi-los e socorrê-los.

Nesse tremedal em que se encontram por vontade própria, após o desrespeito às Soberanas Leis da Vida, não vigem a solidariedade nem a misericórdia, antes campeiam as arbitrariedades e as loucuras do desregramento moral e espiritual do ser que perdeu o endereço de si mesmo.

Apieda-Te deles, concedendo-lhes novo recomeço, qual nos conferiste quando nos encontrávamos sem rumo e a Tua voz nos alcançou, convidando-nos a seguir-Te, maneira única existente de nos libertarmos das paixões primitivas.

Reconhecemos as próprias deficiências para o labor que iniciaremos, por isso mesmo suplicamos-Te sejas o nosso Guia e Condutor, para que todos os nossos sejam passos seguros sobre as Tuas pegadas e a nossa se transforme na ação do bem infinito, não obstante os nossos limites e as nossas deficiências.

Senhor, aceita-nos a Teu serviço em nome de Nosso Pai!

Quando silenciou, com lágrimas que lhe orvalhavam os olhos, vimos mirífica luz argêntea que, descendo de ignoto ponto, envolveu-a, espraiando-se em nossa direção e albergando-nos a todos na sua claridade.

Nesse momento, vimos chegar dois jovens Espíritos, cada um dos quais conduzindo um mastim de expressivo porte, mas bem amestrados e mansos.

Era a primeira vez que, participando de uma excursão espiritual, ela fazia-se integrada por *almas de animais* desencarnados.

A questão da *alma dos animais* sempre me interessara, mesmo quando me encontrava na Terra. Afinal, qual o destino reservado aos nossos irmãos da escala zoológica dita inferior, alguns deles revelando uma percepção do instinto tão aguçada, que se expressava na condição de uma inteligência embrionária? Embora as informações fornecidas pelos Espíritos nobres da Codificação em torno do período em que eles permanecem no Mundo espiritual, mas não em estado de erraticidade, retornando ao mundo físico *quase imediatamente,* agora encontrava aqueles mastins que seriam utilizados pelos trabalhadores do bem, demonstrando que haviam sido selecionados para auxiliar-nos em tarefas relevantes, nas quais nos poderiam ser de grande utilidade.

Os jovens que os conduziam pareciam excelentes amestradores, que os iniciaram na identificação dos fluidos perniciosos e das vibrações deletérias das regiões espirituais inferiores, porquanto se apresentavam exultantes em face da possibilidade de contribuírem em favor do êxito do empreendimento em pauta.

Ainda estava mergulhado nas reflexões em torno dos animais, quando o benfeitor começou a explicar a finalidade da excursão em delineamento, informando:

— *Ante o desbordar das paixões asselvajadas que cultivara na Terra, o Marquês de Sade, residente na cidade perversa, comanda uma legião de cultores do sexo em desalinho, no Mundo espiritual, que se encarregam de inspirar e preservar as alucinações de homens e mulheres terrestres que lhes caem nas malhas perturbadoras.*

À semelhança de Mauro, o esposo da dama da consulta ao atendente fraterno da Casa enquadra-se como dependente da ação nefasta daquelas Entidades devassas que, obsidiando alguns incautos, também tombam nas malhas da própria rede de perturbação, experimentando o tormento da insaciabilidade e mais experienciando as necessidades físicas *de que já deveriam encontrar-se liberados, e constituem somente impregnação dos vícios no perispírito...*

Fez uma pequena pausa e logo prosseguiu:

— *Em nossa Esfera de ação tomamos conhecimento de que um grupo de sequazes do marquês pretende, oportunamente, assaltar esta Instituição, que se constituiu um pouso de renovação que é do vero Cristianismo, influenciando seus membros para tombarem nas urdiduras da sensualidade desavisada, assim interrompendo o ministério de amor e de dignificação que aqui se desenvolve. Conforme recordamos, no plano estabelecido pelo soberano das trevas a respeito das quatro torpes verdades,*[3] *os Espíritos do mal investiriam com todas as suas forças contra os obreiros do Evangelho desvelado pelo Espiritismo, por estarem interferindo nos planos trabalhados em favor das ob-*

---

3. Vide *Trilhas da libertação*, cap. X, FEB (nota do autor espiritual).

sessões coletivas. Uma dessas verdades *é o uso desarmonizado do sexo, fazendo o ser derrapar na vulgaridade e no desrespeito a si mesmo como ao seu próximo. Após inúmeras tentativas frustradas, para levarem adiante o sórdido plano, solicitaram a ajuda do marquês e dos seus comparsas, que têm atraído diversos invigilantes para o desastre inevitável.*

O sábio e diligente guia silenciou por um pouco, procurando ajuizar quanto às informações que iria oferecer-nos, a fim de dar continuidade à narração do plano, referindo-se:

— *Não têm sido poucos os homens e as mulheres que se reencarnaram nas fileiras da Doutrina Espírita, conduzindo altas responsabilidades em torno da sua divulgação e vivência corretas. Nada obstante, após alcançarem a notoriedade e mesmo certa respeitabilidade no Movimento, vêm tombando ante as facilidades em favor do uso do sexo irresponsável, comprometendo-se gravemente e gerando perturbação nos companheiros que, aturdidos, constatam que a sua não era uma conduta exemplar, nem autêntica.*

Quando esses serviçais das paixões vis direcionam o pensamento para alguém, e concede-lhe assistência nefasta, a sua insistência é tão grande e pertinaz que são poucos aqueles que conseguem evadir-se do cerco ou superar-lhe a pressão doentia, escravagista. Inspiram a mentirosa excelência do gozo, dão ideia que a pessoa está perdendo excelentes oportunidades de ser feliz, tendo em vista a predominância do prazer doentio que, afinal, a vida não pode ser levada tão a sério que dispense as suas concessões carnais, que o tempo monástico não mais se instalará na Terra e que estes são dias diferentes. Noutras vezes, auxiliam por inspiração reflexões perturbadoras, procurando diminuir a gravidade dos com-

promissos sem responsabilidade, a banalização dos relacionamentos apressados e das múltiplas experiências como fonte de vida etc. em terríveis conciliábulos que, não poucas vezes, resultam exitosos para os seus delineamentos.

O gentil amigo percorreu a sala com o seu olhar percuciente e, vendo o expressivo número de Espíritos encarnados, desdobrados pelo sono, e desencarnados, buscando amparo e orientação, não se pôde furtar à emoção, prosseguindo:

— *Orando sinceramente, os companheiros ergastulados na matéria, sentindo-se perturbados com as caprichosas odisseias da sensualidade e visitados pelos desejos ignóbeis, vêm rogando proteção, buscando a reflexão nas leituras de obras confortadoras, trabalhando na ação da caridade, e como o cerco prossegue, apelam, quase em desespero, pela ajuda, que nunca falta, a fim de seguirem fiéis aos compromissos abraçados com devotamento. Nesse ínterim, resistindo às influências nefastas que nem sempre lhes encontram guarida na mente ou no sentimento, tornam-se vítimas de companhias encarnadas que se corromperam e se oferecem para o banquete da loucura, alcançando-os com maior facilidade. É-lhes possível resistir às interferências espirituais pelo pensamento, renovando-se e impondo-se ideias edificantes, no entanto, quando perseguidos por pessoas amigas que se transtornam e passam a assediá-los, o problema se lhes faz mais grave.*

Por essas e mais outras razões, tentaremos remover alguns obstáculos do seu caminho e interferir na planificação odienta que se trama na cidade da perversão contra esses trabalhadores da Era Nova. Todos sabemos que não é fácil o trânsito na esfera carnal, onde já estivemos, entre tropeços nas trevas da ignorância e o ressumar das paixões adormecidas e não superadas.

Novamente fez uma pausa, para logo concluir:

– *A fim de ganharmos tempo, deveremos volitar na direção da cidade, acercando-nos dos seus arredores, conforme sabemos, muito bem vigiados por perversos guardas adestrados para capturar visitantes inoportunos. Em qualquer situação, preservemos o equilíbrio e a serenidade, certos do divino auxílio, mantendo a confiança irrestrita em Deus e conscientes dos objetivos que até ali nos conduziram. Da vez anterior, na condição de observadores, não tivemos qualquer dificuldade em adentrar-nos nos seus limites, agora, no entanto, com finalidades de trabalho específico, deveremos manter-nos mais cuidadosos.*

Reinando uma verdadeira consciência de paz e de dever, vimos o médium Ricardo acercar-se da sua benfeitora, que o envolveu em dúlcido olhar de ternura e sorriu, generosa.

Após breve concentração começamos a deslocar-nos na direção da meta que nos aguardava.

Pairava uma expectativa quase ansiosa em minha mente e no meu coração.

Quando alcançamos a região pantanosa próxima às cavernas escuras em cuja intimidade se homiziavam os seus infelizes habitantes, um odor pútrido invadiu-nos a *pituitária,* denunciando o teor vibratório de baixíssimo nível moral de onde procedia, qual ocorrera por ocasião da primeira visita.

Podíamos ouvir o clamor e o estardalhaço que se faziam crescentes, à medida que nos aproximávamos de uma das furnas de entrada.

Para melhor dificultar a identificação dos vigilantes, que conduziam Espíritos metamorfoseados em *animais* por processos perigosos de hipnose perispiritual infelizes, fizemo-nos cobrir por mantos pesados que alteravam a nossa aparência e com a presença dos mastins, facultando que pensassem tratar-se de retornados de excursão ao planeta de onde traziam novos aficionados para o turbulento espetáculo.

Mantínhamo-nos em silêncio, não havendo despertado a atenção dos guardiães da entrada, tão certos estavam de que ninguém se atreveria a vencer as barreiras delimitadoras da comunidade alucinada.

Respondendo às questões que eram propostas pelos vigilantes de plantão, o nosso mentor, circunspecto e concentrado, informou que se tratava de um novo grupo recém-convidado para o espetáculo da noite.

Um pandemônio reinava por toda parte. A sensualidade desbordante tomava conta dos alucinados em transe de loucura. O desfile dos carros alegóricos expressando as organizações genitais deformadas e absurdas, os atos praticados em grupos vulgares e desvairados, inspiravam compaixão, não fosse a náusea que provocavam. Tudo ali fazia recordar os lupanares de baixa categoria e os antros da mais sórdida vulgaridade sexual animalizada. Estátuas horrendas, decorações absurdas, *construções* aberrantes, tudo era calcado no sensualismo chocante, ao mesmo tempo que as músicas estridentes faziam-se acompanhar por letras de conteúdo chulo e palavreado grosseiro, enquanto seres humanos transformados em *bestas animalescas* serviam de condução a hediondas personagens que as conduziam, utilizando-se de rédea e chicote, seminuas ou vestindo-se primitivamente com o que parecia couro negro escuro e brilhante, tendo adereços e argolas grosseiras penduradas em várias partes do corpo, incluindo o sexo de aparência descomunal... Tudo eram referências às mais vis expressões da conduta desregrada do abuso sexual. Grupos desfilavam exibindo espetáculos coletivos de caráter sadomasoquista, em que as aflições que eram infligidas aos seus membros produziam gritos e dilacerações absurdas, mutilações e flagelos entre gargalhadas estentóricas e zombeteiras, como a imaginação mais exagerada não é capaz de conceber.

A execração não tinha limites e, apesar de nunca haver sido impressionável, mesmo quando da breve visita anterior, encontrava-me quase atoleimado ante o que a mente em desalinho é capaz de produzir.

Estávamos parados numa das laterais por onde desfilava o cortejo da luxúria desgovernada. Representações de seres mitológicos se multiplicavam, sempre com destaque a área da sua perturbação ou representação sexual desconcertante; ridículos *imperadores* romanos do período da pré-decadência eram imitados com burlescas aparências e debochadas carantonhas; meretrizes famosas e seus amantes infelizes volviam à cena representativa, entre aplausos ensurdecedores, assobios e gritos infernais entronizando bizarros *Eros, Bacos, Afrodites, Apolos* despudorados...

Nesse momento, surgiu um cortejo de *crianças* em atitudes agressivas e grotescas de atos libidinosos estarrecedores. Apurando, porém, a atenção, pude detectar que se tratava de anões disfarçados, conforme notara anteriormente, a fim de reterem a imaginação dos pedófilos e doentes de outras expressões perturbadoras do sexo aviltado.

Não conseguia compreender toda a hediondez do espetáculo, constatando mais uma vez que, naquela cidade nefasta, muitíssimos líderes das aberrações que se apresentam na Terra iam ali buscar inspiração, em razão de estarem envolvidos com a população residente. Isso, quando não a visitavam com a frequência indispensável a uma perfeita identificação de conduta, que pretendiam transferir para o planeta.

Recordava-me daqueles que sempre proclamam pela *liberdade de expressão*, no seu aspecto mais grotesco e selvagem, exigindo leis que descriminem usos e comportamentos vis, em nome da falsa cultura e da liberalidade que raia sempre pelo despropósito e pelo abuso. Alguns desses companheiros terrestres, que se fizeram famosos pelos conjuntos e bandas metálicas com personificações diabólicas, ali também se encontravam no desfile, exibindo as suas mazelas e perversões com que se compraziam, a fim de despertarem no corpo físico mais tarde sob indisfarçável mal-estar, que pensavam minorar com doses de álcool e de outras drogas químicas de que se fizeram escravos...

Era aquela, sim, uma sociedade que emergia do passado grosseiro, solicitando cidadania nos tempos modernos...

Estava mergulhado nessas reflexões, quando *escutei* nos refolhos da alma a voz gentil do benfeitor, chamando-me a atenção:

— *Não nos encontramos aqui para avaliar ou julgar o comportamento dos nossos irmãos doentes, mas sim com o objetivo de ajudá-los. Preservemos a sincera compaixão fraternal, aprendendo a avaliar tudo quanto não mais nos cumpre vivenciar, superadas essas manifestações primárias, nas quais um dia também nós, de certo modo, estagiamos antes de alcançar o momento atual. Oremos e vigiemos!*

A advertência oportuna chegara abençoada, despertando-me para o dever da solidariedade e não da censura ou da observação malsã que me permitia, desde que somos todos filhos de Deus, em cujo amor nos movimentamos e para cujo seio nos dirigimos. Todos teremos a nossa ocasião de ascender aos páramos da luz, por mais nos demoremos nas trevas da ignorância e da perversidade.

Mudando de atitude mental, de imediato as cenas escabrosas, que continuaram da mesma forma, passaram a ter outro sentido e significado ante a reflexão de que Deus as permitia, porque o ser humano as elaborava em favor de si mesmo, a fim de aprender a purificar-se, saindo do pântano a que se arrojara livremente na direção da paisagem de luz.

Automaticamente me deixei embalar pela musicalidade íntima da oração de misericórdia e de ternura em favor dos Espíritos confundidos em si mesmos, necessitados todos de bondade e compreensão, experimentando outro estado interior de paz e de compaixão.[4]

---

4. Vide *Trilhas da libertação,* cap. X, FEB (nota do autor espiritual).

12
Estranho encontro

Ignorava completamente como seria a atividade naquele báratro e como poderíamos acercar-nos do Marquês de Sade.

O mentor, porém, houvera elaborado um plano que estava levando adiante com muito cuidado e discernimento.

À medida que se sucedia o desfile dos carros alegóricos e os grupos que os secundavam foram diminuindo, lentamente a região foi tomada pelo tumulto dos indivíduos entregues à lascívia em pequenos círculos afins, formando pares ou esquisitas parcerias múltiplas.

Nesse momento, atendendo a um apelo mental do instrutor, fomos embarafustando-nos pela multidão, rumando para extravagante *edifício* em que se transformara uma gruta sombria com movimentação agitada e confusa.

À entrada, postavam-se dois hediondos serviçais trajados de maneira inusual, como se desejando reviver o passado da aristocracia francesa pré-napoleônica, quais lacaios maltrapilhos e imundos, que seguravam *cães* de aparência feroz, e que, melhormente observados, eram seres humanos que haviam sofrido a zoantropia hipnótica.

De aspectos ferozes, avançavam sob os acicates dos seus condutores contra todos aqueles que se adentravam ou saíam, o que não ocorreu conosco, quando se depararam com os dois mastins que eram levados adiante do grupo pelos jovens silenciosos e circunspectos.

Embora diferíssemos dos transeuntes grotescos e de carantonha asselvajada, não chamávamos muito a atenção em face dos mantos pesados que nos caíam da cabeça, cobrindo-nos quase literalmente.

Observei que, à medida que permanecíamos no recinto mefítico da estranha cidade, a nossa indumentária desgastava-se, os mantos romperam-se numa apresentação grosseira de trajes usados por beduínos após incessantes travessias do deserto...

Embora não falássemos durante o trajeto, pude *ouvir* informações mentais que procediam do mentor, esclarecendo que a substância em que os nossos trajes foram trabalhados era própria para aquele ambiente, a fim de assimilar as características locais, de forma que não despertássemos a curiosidade, caso a nossa fosse uma apresentação diferenciada dos demais residentes e visitantes do tremedal.

A furna era iluminada por archotes fumegantes presos às paredes, que ardiam com uma coloração amarelo-avermelhada, de certo modo apavorante pela tonalidade agressiva, e o odor pútrido, misturado ao fumo e a outras emanações, era quase insuportável.

Após avançarmos pelo que seria um corredor estreito e escorregadiço, chegamos a uma ampla sala onde um Espírito de aspecto diabólico, sentado em um arremedo de trono esdrúxulo, banqueteava-se com Entidades lascivas e debochadas em intérminas gargalhadas, enquanto gritos selvagens cortavam o ar, misturando-se a sons estranhos e grotescos que constituíam o espetáculo agradável ao infeliz governante daquela área.

Detivemo-nos a regular distância, a fim de observarmos os acontecimentos e podermos conhecer de perto o infelizmente célebre criador de aberrações, já anteriormente praticadas pelo ser humano, porém por ele ampliadas até o absurdo durante os seus tormentosos e perversos dias já referidos, quando da sua última existência terrena.

Faunos e representações do deus Pan misturavam-se aos famigerados membros da estranha corte, ao mesmo tempo que mulheres, imitando vestais e sacerdotisas, monstruosas umas e em atitudes torpes outras, entregavam-se a inimagináveis movimentos de lascívia grotesca, como se o único objetivo existencial fosse o infindável intercurso da sensualidade depravada.

Vez que outra, gemidos e exclamações lancinantes explodiam no recinto, provocando gargalhadas e sustos no grupo estranho, que não cessava de retorcer-se ao som desconcertante de guitarras e tambores eletrizantes.

Podiam-se também perceber expressões de exaustão em muitos rostos, enquanto não poucos apresentavam sinais inconfundíveis de tédio, que os induziam a mais excruciantes comportamentos aterradores.

Um *inferno* de falsos prazeres, que se convertiam em insuportável sofrimento disfarçado com o riso da loucura e a falta de discernimento de qualquer tipo de valores e de aspirações. Nenhuma imaginação exaltada seria capaz de urdir algo semelhante, demonstrando o poder da mente em desalinho, quando perde os parâmetros do equilíbrio e as diretrizes da sensatez.

Os mastins, de quando em quando, asfixiados pela psicosfera pastosa e quase irrespirável, reagiam agitando-se, logo sendo controlados pelos seus amestradores.

A um sinal quase imperceptível do mentor, acercamo-nos do trono ridículo, e num vaivém do grupo grotesco em sua volta, que nos permitiu maior proximidade com o chefe, dirigiu-se diretamente ao suserano, informando:

— *Tenho para o senhor marquês uma solicitação firmada por certa personagem de nome Rosa Keller, sua conhecida...*

Ao escutar o nome, que lhe ressoou na câmara acústica da alma, o indigitado, como se fulminado por um raio, levantou-se e gritou histérico:

— *Quem é você e que vem fazer aqui?*

Ato contínuo, blasfemando, chamou os guardas, aos quais deu ordens expressas:

— *Como entraram aqui esses estranhos? Prendam-nos.*

Sem demonstrar qualquer receio, o irmão Anacleto prosseguiu:

— *Desde que não lhe interessa o requerimento de que somos portadores, pode tomar a atitude que lhe convier, e ficará na ignorância do seu conteúdo.*

— *Arrancarei as informações através de torturas violentas* — vociferou.

— *Se é assim que pensa, o prejuízo será apenas seu* — ripostou, sereno e seguro, o mentor. — *A verdade é que Rosa Keller foi encontrada e é portadora de acusações muito graves, que pretende encaminhar ao* soberano das trevas.

Novas ordens desconexas foram dadas, enquanto dizia:

— *Ouçamos, então, o que os atrevidos têm a dizer* — blasonou.

Sexo e obsessão

O ambiente modificou-se de maneira imediata. Os ruídos cessaram e a movimentação confusa parou ante a determinação do mandatário.

O venerando guia, com voz pausada e muito sereno, esclareceu:

— *Rosa Keller esteve por muito tempo prisioneira no Castelo de Y, após a morte, de onde foi retirada pela Misericórdia de Deus, não há muito. Desde aqueles dias algo distantes, quando foi execrada, que se entregou a aberrações que a fizeram enlouquecer. Abençoada pela desencarnação, foi recolhida por execrandos comparsas que a aprisionaram, desvitalizando-a através de vampirização contínua e de escabrosidades inimagináveis...*

— *Perco meu tempo com essa lenga-lenga* — pôs-se a gritar entre blasfêmias e vitupérios. — *Trata-se de religiosos melífluos, que se adentraram nos meus domínios sem o meu consentimento. Isso não ficará assim. Justiçarei todos os responsáveis pela invasão, assim como os atrevidos que se me acercam.*

O rosto, com as marcas da obscenidade, e o corpo, monstruoso e flácido, sacudiam as enxúndias, quando ele se agitava, ameaçador.

— *Religiosos, sim, o somos, não melífluos, porque somos portadores de lucidez e coragem em nome de Jesus Cristo, a quem temos o prazer de servir.*

Ao ser pronunciado o nome do Mestre Galileu, e o fora propositalmente, gargalhadas e ditos escabrosos estouraram na gruta imunda, enquanto o marquês, visivelmente descontrolado, ameaçava e socava o ar.

O diálogo prosseguiu algo excitante. O mentor voltou à carga, esclarecendo:

— *Como Rosa, que se encontra sob a proteção de nossa Instituição espiritual, demonstrou interesse em manter um novo encontro com o senhor marquês, pois que, ambos têm necessidade de um diálogo esclarecedor, aqui estamos atendendo-lhe a vontade.*

— *É muita petulância da venal e de sua parte* — ripostou áspero — *pretender um encontro comigo, que governo grande área desta cidade. A troco de quê, ela e o senhor pretendem e esperam conseguir esse benefício de minha parte? Qual o meu lucro? Recordo-me da infame, que foi responsável por minha primeira prisão, caluniadora e louca, que sempre foi...*

— *Não posso ajuizar* — elucidou o interlocutor —, *porquanto sou apenas o portador do requerimento, cuja resposta aguardo.*

— *E onde seria esse encontro?* — interrogou com aspecto feroz. — *Por que não veio até mim, aos meus domínios, conforme vocês o fizeram?*

— *Porque se encontra em tratamento de recuperação psíquica e perispiritual* — esclareceu o irmão Anacleto. — *Como o senhor marquês bem o sabe, a permanência em regiões como esta, por muito tempo, produz danos tão profundos nos tecidos sutis da alma, que a recomposição se faz dolorosa e demorada. Como aqui são realizadas operações que alteram o comportamento e a estrutura profunda e sutil do perispírito, sob o seu comando, há de entender que o caso da nossa amiga não é muito diferente, exigindo diversos cuidados, que não podem ser negligenciados.*

— *E você acredita* — reagiu feroz — *que eu a irei visitar? Qual o meu interesse em encontrá-la, desde que ela é responsável pelo primeiro golpe que o destino desferiu-me?*

Sexo e obsessão

— *Confesso ignorar* — concluiu o amigo espiritual. — *A nossa tarefa aqui está concluída, porquanto a finalidade foi apresentada, dependendo do senhor marquês qualquer decisão.*

Erguendo o corpanzil bestializado e atordoante, o suserano indagou, zombeteiro:

— *E se eu não os deixar sair deste recinto?*

— *Penso que seria pior para o governante* — redarguiu o visitante —, *porque iniciaríamos um trabalho de conversão em massa dos seus súditos, que se encontram saturados de loucura, entediados dos vis entretenimentos e sequiosos de paz, já que vivem exaustos e necessitados de amor e de renovação. Ademais, podemos apelar para a proteção divina que nunca nos é escassa, desde que aqui estamos por vontade própria e não por afinidade de propósitos ou de interesses morais.*

O marquês não esperava resposta tão lúcida e lógica, vendo-se obrigado a recuar, buscando parlamentar.

— *Como passaram pelos meus vigilantes?* — interrogou, irritado.

— *Somente eles podem informá-lo* — respondeu, sereno, o benfeitor. — *Atravessamos todas as barreiras, assistindo ao desfile e, logo após, vimos a entrevista não programada, por sabermos que a nímia deferência do nobre marquês saberia distinguir quem somos em relação àqueles que habitam estes sítios por espontânea vontade, não ignorando que, nas Leis Soberanas, não vigem a violência nem a injustiça. Desse modo, não titubeamos em passar pelas fronteiras do seu reino e apresentarmo-nos à sua magnanimidade.*

— *Magnânimo, eu?* — estrugiu ruidosa gargalhada, no que foi acompanhado pela malta que o assessorava.

— *Por que não?* — insistiu o paciente amigo. — *Não obstante o comportamento do senhor marquês durante largo*

período da sua vida, na etapa final, mesmo durante a revolução, opôs-se à pena de morte, o que lhe custou mais um encarceramento, propugnou pelo trabalho honrado e aguardou a desencarnação, mantendo os seus hábitos, porém de sentimentos alterados...
— Como conhece a minha vida? — voltou à carga.
— Além da vasta literatura a seu respeito — esclareceu tranquilo —, *também possuímos outras fontes de informações, que se encontram escritas no psiquismo do senhor marquês.*

Ele sorriu, algo confortado, para logo assumir a postura dominadora e cínica.

— *Então, sou célebre na Terra?* — indagou, fingindo-se surpreso.

— É claro que sim, conforme a sua contribuição literária e as suas experiências — retrucou o amigo dos infortunados. — *Tristemente célebre, para utilizar-me de franqueza...*

— *Por que tristemente?* — interrogou, frisando a palavra.

— Em razão da sua herança — explicou o bondoso interlocutor —, *em se considerando os valores preciosos de que o amigo era portador e poderia havê-los legado à Humanidade para dignificá-la e fazê-la crescer, em lugar do que fez.*

Ante a verdade, embora enunciada de maneira gentil, a mole espiritual ali presente agitou-se e impropérios irromperam de todos os lados, sem alterar a serenidade do visitante, que prosseguiu:

— *A razão, porém, da nossa visita já foi explicitada. Aqui não nos encontramos para comentários a respeito do que nada temos a ver, especialmente no que se refere à vida e conduta do nosso marquês, mas para atender à solicitação de Rosa.*

Com habilidade psicológica, o mentor retornou ao tema central da visita, não se permitindo devanear ou sair da questão essencial.

Os jovens Espíritos seguravam os mastins com vigor, em face da agitação que reinava na sala opressora.

– *Para que os cães?* – inquiriu, contrariado.

– *Para qualquer emergência. Nunca sabemos o que pode acontecer em uma visita desta natureza. Desta forma, são tomadas medidas acautelatórias, a fim de serem evitadas surpresas indesejáveis.*

Houve um silêncio de breves segundos que pareceram mais tempo, indefinido tempo.

Logo após, o Marquês de Sade perguntou:

– *Onde deveremos encontrar-nos e quando?*

– *Amanhã pela madrugada, na conhecida Instituição de caridade espírita, já visitada anteriormente pelo senhor marquês, que na sua periferia instalou uma sede satélite desta suserania.*

– *Está muito bem informado* – ironizou.

– *Não poderia ser de outra forma, senhor. O Mestre sempre nos recomendou vigilância e oração.*

– *Não me interessa o que Ele disse ou propôs. Lá estarei, às 2 horas da manhã. Agora, podem ir-se.*

A ordem foi apresentada com azedume e decepção. Talvez desejasse intentar o impedimento da saída do grupo, o que não se atreveu a fazer.

Observei, porém, que a mentora e o médium Ricardo concentraram-se psiquicamente no reizete, que lhes captou a onda vibratória, reagindo quanto possível.

Certamente, o psiquismo do instrumento mediúnico, carregado de energia específica, porque ainda encarnado, alcançou o marquês, estabelecendo um tipo de imantação, que talvez viesse a ser utilizado oportunamente.

Sob a determinação do marquês, que destacou dois servidores para nos acompanharem até à saída da furna, foi-nos possível retornar ao exterior da comunidade infeliz, sem qualquer incidente ou anotação que mereça análise.

Utilizando-nos do mesmo recurso para voltar ao centro de atividades, logo nos encontramos na instituição que nos hospedava, quando, então, profundamente sensibilizado, o mentor agradeceu a proteção dos Céus utilizando-se do veículo da oração:

– *Jesus Amigo!*

Profundamente sensibilizados, retornamos ao ninho generoso onde nos acolhemos, agradecendo-Te as ricas bênçãos com que nos amparaste, auxiliando-nos na primeira etapa do labor com que nos honras em relação ao amanhã ditoso.

Somos incapazes de expressar os sentimentos de afeto e gratidão, as palavras de que nos utilizamos, por absoluta pobreza de nossa parte, ainda caracterizados mais por necessidades que sempre Te apresentamos, do que por louvor que não sabemos ainda tributar.

Tu, porém, que nos penetras com a Misericórdia que verte de nosso Pai, sabes, melhor do que nós próprios, quanto de amor existe no âmago dos nossos seres e como temos dificuldade em expressá-lo.

Recebe, pois, deste modo, a nossa profunda reverência e emoção, que transformamos em tesouro de luz, para dizer-Te muito obrigado, Senhor, pela felicidade de nos encontrarmos seguindo pela Tua senda, aquela que palmilhaste com amor e traçaste com segurança para os nossos Espíritos deficientes.

Esperando servir-Te sempre, nas pessoas dos nossos irmãos da retaguarda, entregamo-nos às Tuas disposições para o que consideres de melhor para realizarmos.

Abençoa-nos, portanto, por hoje, por amanhã e para sempre!

Quando terminou, tínhamos úmidos os olhos de vívida emoção.

Realmente, a tarefa que se iniciava, assinalada por incertezas, encerrava o seu primeiro passo com perspectivas muito felizes para o futuro.

À medida que a madrugada avançava, anunciando o dia cujo rosto começava a bordar de luz as sombras garças, deixamo-nos inebriar pela beleza da paisagem, e entregamo-nos às reflexões em torno do amor de Nosso Pai e Sua Sabedoria.

13
Decisões felizes

A minha mente esfervilhava de interrogações, que o momento não me permitia elucidar. Tantas eram as surpresas e as expectativas, que não me podia manter na tranquilidade necessária, a fim de que as reflexões pudessem fluir harmônicas.

A visita à *cidade pervertida* transcorrera em tanta paz que me parecia surpreendente, em face da finalidade de que se constituía. Por outro lado, o contato com o marquês deixara-me diversas questões que necessitavam de esclarecimentos, isso porque, colhido de surpresa pela visita de um grupo expressivo, não detectado pelos seus asseclas nem pelos demais vigilantes que se encarregam de guardar as defesas e entradas da estranha urbe, o que não deixara de produzir-lhe estranheza, mal-estar e insegurança.

Outrossim, a informação em torno da senhorita Keller chocara-o sobremaneira, desarmando-o e mostrando-lhe a fragilidade em que se refugiava.

Compreendia, sim, a sabedoria do nosso condutor espiritual, que tomara as providências preventivas hábeis, evitando qualquer inesperado cometimento por parte dos dirigentes da infeliz comunidade, inclusive conduzindo os cães que amedrontavam as estranhas personagens que, ao defrontá-los, não ocultavam o receio que se lhes estampava nas faces macilentas e deformadas.

O domingo estuava de sol. O Astro-rei espraiava-se dominador, dourando a Natureza em festa. Após desfazer-se o grupo, permanecemos somente nós, Dilermando e o benfeitor, enquanto os demais amigos e a nobre senhora seguiram no rumo dos compromissos que lhes diziam respeito.

Depois de algum breve repouso, o irmão Anacleto convidou-nos a rumar à igreja, onde o senhor bispo estaria celebrando o *sacrifício da missa*, para logo atender à entrevista concertada com a Profa. Eutímia e o seu esposo, logo após o ato litúrgico.

Encontramos a catedral abarrotada de fiéis, os mais diferentes. Alguns ali se encontravam, sem qualquer vinculação com o culto religioso que estava tendo lugar. Tratava-se, para eles, de um convencionalismo sem sentido, porém, de muito agrado social, em razão dos encontros pessoais e das conveniências deles resultantes; para outros, era um motivo para exibição de roupas, adereços e joias; para alguns poucos, no entanto, era o momento de comungar com Deus, de sentir-Lhe mais direto o contato, de experimentar paz e dialogar com a consciência.

Chegamos no momento em que Sua Eminência lia recente homilia papal, distribuída a todas as igrejas do mundo, advertindo os fiéis quanto ao comportamento aberrante, às extravagâncias do século, aos tormentos e facilidades da luxúria.

Admirei-me, constatando que providências espirituais estavam sendo tomadas nos diversos segmentos religiosos para que a avalanche do despudor e da licenciosidade que tomava conta da sociedade fosse detida, preservando-se os valores do matrimônio, da família, dos grupos sociais, dos princípios morais e cristãos, sacudidos pelo vendaval das paixões mais primitivas e perversas. Sua Eminência enfatizava cada frase, apresentando pontes evangélicas com os ensinamentos de Jesus, e advertindo os ouvintes a respeito da responsabilidade dos pais e dos educadores na formação da consciência humana desde os seus primórdios, na infância e na juventude.

O que enunciava e propunha era perfeitamente compatível com o labor que estava sendo realizado em nossa Esfera espiritual de ação. O objetivo era o mesmo: libertar a criatura humana da servidão dos desejos nefastos e asselvajados. Cada qual, no seu campo de trabalho, laborava em favor da sociedade feliz pela qual todos anelamos.

Terminada a leitura muito bem apresentada, tomou do Evangelho de São Mateus, no capítulo VI, versículo trinta e três, e leu, comovido: [...] *mas buscai primeiro o Reino de Deus e Sua justiça, e tudo mais vos será acrescentado.*

Tratava-se de comentários do Mestre em decorrência do *Sermão das Bem-aventuranças*, essa fonte inexaurível da qual a criatura pode retirar o pão nutriente da coragem para o enfrentamento das vicissitudes, mantendo-se otimista e feliz.

Depois de reflexionar por breve momento, ergueu a voz expressiva e exortou os ouvintes à mudança de comportamento, em relação a Deus, a si mesmos e à convivência com o seu próximo. Procurou estabelecer paralelos entre o que se pode, mas não é lícito realizar, e aquilo que se deve, porém, não é oportuno fazer. Essa tomada de consciência leva o indivíduo relutante entre os valores do mundo e os de Deus, a eleger primeiro aqueles que conduzem ao Reino dos Céus, porque de sabor eterno, enquanto que, os outros, mesmo quando aparentemente importantes, têm o valor que lhes é atribuído, não merecendo mais do que a consideração relativa de que se revestem.

Procurou evidenciar a necessidade da renúncia ao secundário – o mundo físico – ante o primordial – o Mundo espiritual –, assim optando pelas questões superiores do Espírito imortal na sua busca de plenitude. Concluiu, informando que aqueles que sabem escolher, sempre logram receber além do que foi buscado, recebendo, por acréscimo de misericórdia, muito mais, tudo quanto lhes é *acrescentado*.

Concluído o sermão ante a emoção de alguns sinceros ouvintes, que procuraram introjetar os ensinamentos, ao mesmo tempo que se harmonizavam interiormente, o bispo deu prosseguimento ao ato litúrgico, logo o encerrando, e recolhendo-se à sacristia.

Terminadas as saudações de alguns fiéis, à medida que a igreja se esvaziava e à movimentação sucedia a tranquilidade, o casal assinalado para a entrevista aguardou o momento oportuno, sem ocultar a ansiedade e a angústia de que se via possuído.

Foi o senhor bispo quem tomou a iniciativa de convidar os esposos a que se acercassem da imensa mesa que se encontrava no centro da sala, propondo-lhes sentar-se, e dando início à conversação anelada.

Não havia ninguém mais, além deles.

Foi o esposo de D. Eutímia, o Sr. Renato, quem deu início à narrativa, explicando que a consorte, depois de muito abalada com o acontecimento que relataria logo mais, confidenciou-lhe o ocorrido, convencionando-se que ninguém melhor do que a autoridade eclesiástica para orientar o comportamento desejável naquele momento grave e diante do acontecimento de alta relevância.

Bom ouvinte, acostumado às confissões auriculares, o bispo tinha o cenho carregado, demonstrando preocupação compreensível enquanto preservava a atenção alerta.

A senhora, algo constrangida, narrou ao prelado o fato sem exagero nem omissão, e o consequente choque de que se sentiu acometida, havendo expulsado o sacerdote das dependências escolares. Não negava a surpresa que a acometera, ante o ato que considerava aberrante e criminoso, considerando-se ainda a gravidade de ser praticado por um religioso que pervertia uma criança. Elucidou, igualmente, que não presenciara qualquer cena de sexo explícito, mas implícito, em face das circunstâncias e caracteres com que se apresentava o padre envolvido pelos desejos lúbricos em relação ao infante, havendo agradecido a Deus poder interromper o que seria um ato ominoso.

Após um momento de silêncio, a dama aludiu ao sonho de que fora objeto, acreditando tratar-se de uma resposta divina às suas orações, após o qual se sentira muito calma e confiante no futuro, apoiando-se na certeza de que agira corretamente, ao salvar a criança das garras do explorador impiedoso.

O sacerdote concordou plenamente com ela.

Sem ocultar o seu sofrimento, disse-lhe que o padre Mauro houvera-o buscado, macerado por sincero arrependimento, tentando reparar, através da confissão, o crime que, não fosse a intervenção providencial da diretora, poderia haver praticado... Ele reconhecia a culpa, e não sabia explicar por que fora vítima de tão penoso processo de loucura. Visivelmente perturbado, viera buscar-lhe o auxílio, que lhe seria concedido, e suplicar pelos meios próprios para a reparação de tão degradante tentação.

Com muito tato psicológico, evitou comentar as aberrações confessadas pelo seu discípulo, não divulgando desnecessariamente o mal, que sempre redunda em nefastas consequências quando ocorre ampliação dos comentários em torno do feito desastroso.

Aludiu às providências que seriam tomadas, inicialmente encaminhando o jovem a uma clínica psiquiátrica, mantida pela Igreja para casos de tal natureza que, embora não fossem frequentes, aconteciam, em razão da fragilidade moral das estruturas humanas nas suas personalidades doentias ou atormentadas. Após o tratamento, que considerava indispensável, o sacerdote receberia a punição canônica, conforme a gravidade do delito prevista no Direito, e o mal não mais se repetiria.

— *Para evitar-se desnecessário escândalo* — propôs com cautela —, *evitaremos comentar o infeliz incidente e explicaremos que, por motivo de saúde, o padre Mauro está viajando a tratamento fora da cidade, assim interrompendo as suas aulas de catecismo e as outras que ministra na escola.*

Fez-se um silêncio pesado, no qual todos demonstravam sofrimento e angústia.

O bispo, compreensivelmente comovido, agradeceu ao casal pela sua excelente cooperação, confirmou as providências que já estavam em andamento, e abençoou-os, dispensando-os, a fim de que pudessem retornar ao lar em clima de paz.

De sua parte, desejava evitar que fosse percebido o seu constrangimento e decepção, pois que o jovem sacerdote era-lhe muito estimado e, de alguma forma, credor da sua confiança até o momento em que narrara o drama que o acometia. Reconhecia que o sexo constituía um terrível aguilhão cravado na alma de todos os seres, especialmente os humanos, nem sempre fácil de ser arrancado, senão através da oração, de sacrifícios e renúncias, abnegação e fé na Divina Providência. Ele mesmo tivera que vencer inúmeras etapas do processo de superação dos impulsos, de modo a manter-se em paz, aquietando as ansiedades do corpo e do coração. Através do amor ao seu rebanho, dos serviços religiosos a que se afervorara, conseguiu, com a bênção do tempo e os exercícios espirituais, tranquilizar-se, não tombando em perturbação nem crime decorrente do seu uso.

D. Eutímia e o esposo saíram reconfortados, especialmente por haverem tomado as melhores atitudes que o caso requeria, e por saberem das medidas preventivas e outras ocorrências da mesma natureza, também punitivas em relação ao infrator, sem negar-lhe a oportunidade da regeneração.

Eram comportamentos sábios, aqueles que estavam em curso, já que não se pode destruir o infrator a pretexto de aniquilar o delito, nem inutilizar o criminoso, antes, porém, auxiliá-lo a libertar-se do crime e redimir-se perante a sociedade.

Embora a excepcional gravidade do ato execrável do jovem padre, o bispo optou por não evidenciar o mal, nem dar-lhe notoriedade, que em nada auxiliaria a sociedade, e possivelmente mais a perturbaria.

Assim, delineou um programa operacional específico, e pôs-se a agir, sem comunicar a outras autoridades eclesiásticas ou ao poder civil, para os corretivos necessários conforme estabelecidos pelo Código Penal, com a intenção de proporcionar ao infeliz equivocado a reabilitação, mediante a qual poderia auxiliar ainda a sociedade no futuro.

Naturalmente, receou que o drama tomasse novo curso no porvir, o que não é raro de acontecer. No entanto, preferiu correr o risco, confiante no sincero esforço do paciente e no tratamento a que se permitira submeter. Ele próprio buscaria a melhor clínica para o seu sacerdote e dar-lhe-ia assistência pessoal, a fim de que o enfermo não enveredasse pela loucura ou viesse a cometer o hediondo crime do suicídio, tal a gravidade da situação em que se encontrava.

Eram reflexões bem urdidas, porque, não fosse a ajuda divina, e Mauro ter-se-ia suicidado, às vésperas, ou mesmo antes, conforme fora a esse crime induzido pelos seus inimigos espirituais...

Ficariam para o dia seguinte as providências que deveriam ter o seu curso normal.

14
Visita oportuna

Q uando retornávamos do palácio episcopal na direção da nossa sede de atividades, utilizando-me de alguns minutos que me pareceram oportunos, não tive relutância em interrogar o generoso guia espiritual a respeito dos labores em andamento.

Sempre interessado em esclarecer e orientar, o amigo sensato ouviu-me as indagações, e respondeu-as com a sua proverbial gentileza.

– *Por qual motivo* – inquiri, curioso – *a* visita à cidade *perversa parecera ocorrer de forma tão fácil, tendo-se em vista as precauções tomadas, que poderiam ter sido evitadas?*

– *Diante do mal* – respondeu-me, afável –, *nunca devemos descurar dos cuidados hábeis que se tornam necessários, tendo-se em vista os recursos de que se utilizam aqueles que se conduzem equivocadamente. Destituídos de sentimentos de dignidade e de correção moral, os partidários da desordem não temem investir na violência, nem urdir planos astuciosos de forma a enredarem suas vítimas em potencial, que lhes tombam nas malhas da crueldade. Assim, as providências tomadas tinham por objetivo situações de surpresa ou enfrentamentos mais difíceis. Porque a circunstância houvesse transcorrido de maneira favorável, evitou-se a utilização dos mastins, bem como dos jovens acostumados a embates específicos com os legionários da hediondez e do crime. Ademais, a presença da venerável mentora acarretara muitas bênçãos para o grupo de ação, envolvendo-o em vibrações defensivas especiais, que não chamavam a atenção dos vigilantes das entradas de acesso. Na etapa final, conforme recordamos, o marquês, aturdido e sem conhecimento do que se passara, responsabilizou-se pelo nosso afastamento da região sem qualquer empeço.*

– *Que tem a ver o marquês* – voltei à carga, interrogando – *na problemática de Mauro, junto a quem estamos trabalhando?*

Atencioso, esclareceu:

– *Havendo vivido os dias pré e napoleônicos, o marquês foi, igualmente, frequentador da mansão de Madame X. Naquele lupanar de luxo eram permitidas e estimuladas práticas sexuais aberrantes, então na moda, havendo um comprometimento da mesma senhora com o infeliz autor e inspirador de inomináveis anomalias. A sociedade, quando vazia de sentimentos, sempre dispõe de tempo para elaborar propostas indecentes e inusuais no seu comportamento. Os espaços abertos entre as guerras que o Corso mantinha em regime de continuidade, facultavam aos seus exaustos oficiais a busca de experiências desafiadoras e estimulantes para os nervos cansados e os ideais combalidos. Dessa maneira, a residência da extravagante senhora era palco para os desatinos mais absurdos que o comércio da luxúria e da corrupção pode oferecer aos seus aficionados.*

– *Equivale a dizer* – volvi à indagação – *que Madame privou de relacionamentos com o Marquês de Sade?*

– Sem lugar a dúvidas – ripostou, seguro. – A célebre cafetina fizera-se centro de interesse da maioria dos desvairados que residiam em Paris e alguns que moravam no estrangeiro, visitando-a com frequência. Sua mansão, de triste memória, nas cercanias da capital da França, era frequentada por numeroso cortejo de insensatos de ambos os sexos, que ali davam vazão aos seus desejos doentios ou extravagâncias emocionais. Desfilavam, durante os seus bailes de máscaras, personalidades da aristocracia, da política, da religião, da intimidade do imperador, saturadas de prazeres que a vida insensata lhes impunha. Nessas oportunidades, muitos convidados apresentavam-se vestidos de animais, em dias especiais para a exorbitância, e, ante o ensurdecer de músicas atordoantes, entregavam-se às perturbações que lhes impunham a imaginação doentia. Noutras vezes, animais em fase de cio eram colocados em improvisada arena para a relação sexual imposta pelo instinto, enquanto os espectadores, estimulados e enlouquecidos, tentavam repetir as cenas, que acompanhavam, mediante comportamentos escabrosos, até a exaustão, tombando, desfalecidos ou embriagados, e desligando-se do corpo lasso em torpor, sob a ação de sequazes desencarnados com os quais se homiziavam em regiões espirituais odientas.

Silenciou por um pouco, diminuindo a gravidade da narração, pelo seu conteúdo de estupefação e, medindo as palavras, voltou a explicitar:

– Por sugestão do Marquês de Sade, Madame X transformou o porão da herdade em pequenas celas, utilizando alguns cômodos que se lhes assemelhavam, onde eram praticadas verdadeiras atrocidades sadomasoquistas. Diversos pacientes ali experimentaram o horror em tal escala de alucinação, que alguns não conseguiram sobreviver, falecendo nos hediondos *catres transformados em câmaras medievais de aflições, enquanto outros, enlouquecendo, eram encaminhados aos lares ou aos manicômios, não mais recuperando a saúde mental. Infelizmente, descendo a escalas mais vis, muitos alucinados se entregavam a atos abomináveis com animais amestrados que, no seu primarismo, feria-os, dilacerava-os, constituindo essas monstruosidades razões para comentários nos diversos grupos sociais que tinham conhecimento da sua ocorrência e anuíam na grande maioria. É certo que Madame, mais de uma vez, esteve a braços com a polícia do Estado, conseguindo liberar-se com facilidade, graças aos seus protetores que lhe frequentavam o lôbrego bordel. A inexorabilidade orgânica, o seu processo de envelhecimento e de desgaste, a decadência do império napoleônico contribuíram para alterações profundas nos hábitos dominantes na época, e a residência da mulher famigerada, que caiu em desgraça, foi tomada, e ela, abandonada pelos seus amigos, também infelizes e desatinados, terminou os dias na obscuridade e na solidão.*

Podia perceber quanto a narração lhe constituíra um verdadeiro fardo, porque o benfeitor apresentava-se ligeiramente pálido. Nada obstante, concluiu:

— *O marquês, que teria mudado de comportamento na velhice, conforme alguns dos seus biógrafos, o que para nós carece de fundamento, prosseguiu mais moderado na sua loucura até que foi arrebatado pela morte e conduzido para a* cidade perversa, *de onde procedera, ali dando curso às suas alucinações e recebendo, logo depois, Madame X...*

Houve um silêncio quase constrangedor.

Dilermando, o amigo gentil, que se mantinha calado, demonstrando compaixão e surpresa ante a narração, por sua vez, timidamente indagou:

— Esta é a primeira reencarnação de Madame após as experiências recém-narradas?

Pacientemente, o mentor explicou:

— *Em verdade, esta é a terceira tentativa concedida ao infeliz Espírito, a fim de recuperar-se e aprender a respeitar as Soberanas Leis da Vida. Duas vezes retornou com a organização fisiológica feminina, na França, assinalado por terríveis marcas perispirituais que lhe deformavam a instrumentalidade física, havendo sido vítima de estupros e crueldades provocados por famigerados mendigos e ciganos das áreas onde foi acolhido pela Misericórdia de Deus. Desencarnou em estado lamentável, porém com menos culpa, retornando à mesma região espiritual que o acolhera anteriormente. Mais tarde, no Brasil, com expressiva legião de Espíritos franceses transladados para as* terras do Cruzeiro do Sul, *o que vem ocorrendo com certa periodicidade, esteve mergulhado na organização masculina, vivendo tormentos inauditos, algumas vezes superados, outras não, para recomeçar, na atualidade, novamente na mesma polaridade, porém vinculado à religião dominante, a que se dedicara irregularmente em passado não muito distante. Os vícios, que se encontram arraigados no imo, levaram-no aos desaires de que tem sido vítima.*

— *E a mãezinha* — voltou a indagar o amigo discreto — *desde quando, se é possível informar-nos, labora em favor da sua libertação?*

— *Desde os dias de* S. Francisco de Assis... *Quando, em posição de destaque na Itália, ele ouviu falar sobre o* santo da Úmbria, *desejou, sinceramente, segui-lo. Protelando a decisão, quando se resolveu por integrar a ordem franciscana, o Poverello já havia deixado o corpo. Embora o fervor que dominava muitos dos seus seguidores, a ausência física do* discípulo amado de Jesus *facultou que alguns exaltados e menos equipados para o ministério introduzissem a vaidade, o poder temporal, a coleta de recursos monetários para a Ordem, e a decadência se anunciou... Nesse comenos, o nosso amigo logo derrapou vitimado pela ambição e esqueceu-se dos projetos iniciais, assim contribuindo em favor da derrocada dos elevados propósitos da Obra que nascera no coração do amor e se alongara no mundo pelas palavras de fé e pelos atos de caridade... Desde ali, portanto, sua mãezinha, profundamente vinculada a Jesus e à Irmã Clara, vem lutando em favor da sua libertação, travando agora a batalha final a que se entrega com total dedicação, e para a qual fomos convidados...*

Extasiei-me ante a explicação, por poder aquilatar a força e a tenacidade do amor que não mede esforços, não tem limites, não desiste, vencendo todos os óbices para alcançar a meta da felicidade que se impõe.

Da forma como me chocaram as informações do bordel de luxo e a consequente desgraça de Madame X, dando-me conta de que hoje se multiplicam inumeráveis deles na Terra, cujos proprietários e divulgadores são ex-residentes da *cidade perversa*, onde haurem constante inspiração, e ali são levados durante o sono fisiológico em desdobramentos espirituais, a repugnância e a dor eram agora substituídas pela ternura e alegria ante a força perseverante do amor de mãe, que se atirava no rumo do abismo para resgatar o filho desvairado que Deus lhe emprestara através das reencarnações. O êxito, que não conseguira através da educação, quando no corpo físico, dos exemplos luminosos de carinho e de renúncia, permanecia buscando agora, em outra dimensão através de tentativas incessantes, na condição de anjo protetor que não se cansa de ajudar.

Ali estava o mais belo argumento prático contra o tradicional dogma do inferno para os maus e do Céu para os bons. Aquela mãe, que vivia o céu interior, não se permitia plenitude enquanto não arrancasse o filho amado do seu inferno de paixões internas, a fim de rumarem ambos de mãos dadas para o Paraíso, onde o trabalho e a misericórdia são o cotidiano de todos.

Chegamos à querida Instituição, sempre movimentada. Surpreendia-me por verificar que não havia horário em que não estivessem em movimentação trabalhadores de várias procedências espirituais e necessitados de ambos os planos da vida, buscando a austera Entidade, que a todos albergava com carinho, misericórdia e iluminação de consciências, que parecia ser-lhe a meta maior, a fim de proporcionar a libertação da ignorância a todos aqueles que a buscavam.

Em realidade, não é outra a finalidade do Espiritismo, despertando o Espírito para as suas responsabilidades e cumprimento dos deveres, conscientizando-o do significado da sua existência, quando no corpo, da sua realidade, quando desencarnado, a fim de avançar sem impedimento no Grande Rumo...

A noite descia calma, compensando a ardência do dia e envolvendo a Natureza nos seus tecidos escuros, veludosos que se adornavam de estrelas faiscantes.

Pairava no ar a expectativa dos próximos acontecimentos, que aguardávamos entre preces e esperanças de êxito.

O vaivém de Entidades desencarnadas era surpreendente, caracterizando o esforço de abnegados mensageiros da Luz que não descansam, sempre afeiçoados à ação da caridade e do Bem inefável.

Encontrava-me à porta da sala de atividades mediúnicas, onde se processavam também atendimentos espirituais cirúrgicos no perispírito de inúmeros sofredores do Mais-além, assim como de portadores de transtornos obsessivos profundos.

O irmão Anacleto dialogava com alguns mentores em torno das questões pertinentes aos deveres a que se entregavam. Pude perceber o respeito de que desfrutava o amoroso guia, sempre sábio nas suas decisões, e profundo conhecedor do espírito humano, o que lhe facilitava o labor a que se afeiçoava.

Nesse ínterim, fomos surpreendidos com a visita do nobre Espírito Dr. Bezerra de Menezes que chegou, provocando expressiva alegria. Podia-se perceber quanto a veneranda Entidade é amada por todos, em razão da significativa folha de serviços prestados à Humanidade.

À paz que reinava entre nós associou-se o inefável júbilo pela presença do amado mentor.

Todos nos acercamos, formando um círculo à sua volta, e ele, sem ocultar, também, a mesma satisfação, pareceu justificar-se lamentando não haver informado antes do seu plano de passar pela Instituição, a fim de participar do labor que estava programado em relação ao Marquês de Sade.

– *Tratando-se de uma questão palpitante* – elucidou com modéstia – *qual a dos distúrbios na área do sexo, todos estamos muito interessados em aprender e conseguir soluções, socorrendo aqueles que se extraviaram, perdendo-se no labirinto das paixões mais primevas, de maneira que se possam levantar do charco pestilencial em que se encontram, aspirando o oxigênio abençoado do planalto da fé libertadora.*

Depois de pequena pausa, prosseguiu:

Sexo e obsessão

– *O sexo, na Terra, ainda é instrumento de alucinação, quando deveria ser abençoado mecanismo de vida, construindo corpos que se transformam em oficinas de iluminação e escolas de sublimação para os Espíritos em processo de crescimento na direção de Deus. Graças ao fascínio que se deriva do prazer imediato, não poucos indivíduos encarceram-se no gozo, distantes da responsabilidade e do dever para com o seu parceiro, ou as consequências que sucedem ao ato sexual, quais a fecundação, o aprisionamento na afetividade atormentada, abrindo espaços para as ações criminosas do aborto delituoso e da separação dilaceradora dos sentimentos. No seu aspecto mais grosseiro, imana o indivíduo às paixões asselvajadas, fixando-o nas faixas primárias do instinto, sem que a razão ou o discernimento possa contribuir em favor da plenitude, antes sacrificando aquele que se lhe entrega irracionalmente.*

Havendo sido cientificado pela benfeitora madre Clara de Jesus a respeito do encontro terapêutico programado para esta noite, não me pude furtar ao desejo de participar desse evento, aprendendo sempre mais e penetrando no âmago da palpitante questão que será abordada.

Sentindo-se inteiramente à vontade, facultou que o nosso Instrutor solicitasse-lhe a cooperação em torno de uma breve dissertação a respeito da problemática do sexo e da obsessão, a fim de que, não somente nós, que nos encontrávamos vinculados ao projeto em desdobramento, mas também outros benfeitores espirituais e amigos presentes, nos beneficiássemos com a sua palavra sábia e a sua proverbial experiência.

Isso posto, e porque todos anuíssemos em um misto de felicidade e gratidão, o mentor paternal sorriu, generoso, e convidou-nos a sentar, colocando-se próximo de delicado móvel que se transformaria em improvisada tribuna, assim dispondo-se a entretecer as considerações solicitadas. Todos estávamos comovidos e atentos. Podia-se ouvir o pulsar de cada coração em clima de festa.

Dúlcidas vibrações bailavam na atmosfera sutil da sala de intercâmbio com o Mundo maior.

Expectantes, portanto, aguardamos.

15
Sexo e obsessão

O lúcido amigo concentrou-se e lentamente começou a irradiar claridade argêntea que o envolvia em tonalidades variadas, produzindo-nos incomum emoção.

Após a breve interiorização, começou a falar com inesquecível tonalidade de voz, em que ressumavam os seus sentimentos de amor e de paternidade espiritual, convocando-nos a reflexões muito profundas e significativas.

Sem delongas, considerou:

– *O sexo é departamento importante do aparelho genésico criado com a finalidade específica para a procriação. Responsável pela reprodução dos seres vivos, constitui extraordinário investimento da vida, que o vem aperfeiçoando através dos milênios, a fim de o transformar em feixe de elevadas emoções que exaltam a Criação. Quando compreendido nos objetivos para os quais foi elaborado, transforma-se em fonte geradora de felicidade, emulando ao amor e à ternura que expressa em forma de vitalidade e de bem-estar. Quando aviltado por* qualquer forma de manifestação incorreta, faz-se cadeia retentora do ser na paisagem sórdida à qual foi atirado. Acionado pelo instinto, manifesta-se automaticamente por meio de impulsos que induzem à coabitação para o milagre da criação de novas formas de vida. Responsável pelo invólucro material, responde pela bênção de proporcionar o instrumento corporal, mediante o qual o Espírito evolve no rumo do Infinito. Com características próprias em cada fase do processo evolutivo, no ser humano alcança o seu estágio mais elevado, por vincular-se às emoções, lentamente superando as sensações mais primárias por onde passou no período das experiências iniciais da forma animal. Responsável pelos grandes envolvimentos na arte, na beleza, na fé, no conhecimento científico e filosófico, é sede de valores ainda não desvelados.

Em razão das explosões iniciais dos impulsos mais animalizados, vem governando a sociedade humana através dos tempos, constituindo-se instrumento de crimes hediondos e de guerras lancinantes, destrutivas, gerando consequências imprevisíveis para a sociedade de todas as épocas. Homens e mulheres de destaque na História utilizaram-no para fins ignóbeis, entregando-se a aberrações que celebrizaram determinados povos e períodos, assinalados pelas suas orgias e inomináveis aberrações chocantes que, no entanto, obedeciam às paixões dominantes. Da mesma forma, produziu manifestações de sentimentos afetivos celebrados em Obras de incomparável beleza, em que a renúncia e a abnegação, o sacrifício e o holocausto se transformaram em opções únicas para dignificá-lo.

Profundamente arraigado na instrumentalidade material, encontram-se as suas gêneses no ser profundo, no Espírito que, habituado às suas imposições, transfere de uma para outra existência aspirações e desejos que, não atendidos, *se transformam em conflitos e sofrimentos dilaceradores, mas quando vivenciados se expressam através de estímulos para o crescimento interior e para a conquista da plenitude. Inegavelmente, na raiz de inumeráveis aspirações e anseios do coração, encontra-se a libido como desencadeadora de motivações, mesmo que de forma sub-reptícia, o que induziu Freud a conceder-lhe valor excessivo. É incontestável a ação do sexo no comportamento da criatura humana, merecendo estudos cuidadosos e enobrecedores, a fim de ser avaliado no grau e no significado que possui.*

Os seus impulsos e predominância no comportamento são tão vigorosos que vão além do corpo físico e imprimem-se nos tecidos sutis do ser espiritual, continuando com as suas manifestações de variada ordem, exigindo respostas que, não sendo de superação e sublimação, geram caos emocional e revinculam o ser ao carro orgânico que já se consumiu. Mediante a ideoplastia, a fixação nas suas sensações revigora a necessidade *que se transforma em tormento no Além-túmulo, conduzindo de volta aos estágios perturbadores da organização somática. É, nessa fase, nesse terrível transtorno, que surgem as auto-obsessões, as obsessões que são impostas às criaturas terrenas que estagiam na mesma faixa de desejos ou entre os desencarnados do mesmo nível vibratório. Reunidos em grupos afins, as suas exteriorizações morbíficas eliminam energias de baixa qualidade, que se convertem em elemento construtor de regiões infelizes onde enxameiam em convulsões penosas e retêm aqueles que se lhes fazem vítimas, demorando-se por tempo indeterminado até que a exaustão dos* sentidos *e o tédio os induzam a mudanças de atitude, permitindo-se a ajuda do Amor que os libertará da injunção exaustiva e penosa.*

    Fez uma pausa oportuna, a fim de dar-nos ensejo à reflexão, à absorção do conteúdo da sua mensagem.

No mesmo tom, pausado e profundo, logo deu prosseguimento às explicações de alto significado:

– *Quando emulado pelo amor* – *seu dínamo possuidor de inesgotáveis reservas de energias* –, *altera a manifestação e conduz-se rico de estímulos que fomentam a coragem, propiciam o bom ânimo, o desejo de luta e de crescimento, alterando a estrutura interna do ser humano e a condição da Humanidade que se transforma para melhor.*

Diante dos grandes eventos da cultura, da arte, do pensamento, da fé, pergunte-se ao amor o que constituiu razão para essa realidade, e ele responderá que foram os sentimentos de ternura e de envolvimento afetivo, sem os quais não se teria força nem valor para resistir às investidas da rebeldia, nem às incessantes provas desafiadoras, ante as quais somente os fortes, aqueles que estão estruturados na coragem e seguros dos objetivos que perseguem, conseguem ultrapassar. O amor é o mais vigoroso instrumento de incitação para os logros que parecem impossíveis de ser conquistados. Ele se manifesta através de mil faces, expressando-se em todas as aspirações do enternecimento, da comunhão afetiva, da fusão dos sentimentos, que seriam o êxtase da plenitude do sexo no seu sentido mais elevado e puro.

Por enquanto, todavia, o sexo tem sido objeto de servidão e de abjeção, manifestando-se na loucura que grassa na Terra carente de ideais de enobrecimento e repleta de desaires afligentes. Como mecanismo de fuga dos compromissos de luta e de renovação, milhões de criaturas estúrdias e ansiosas atiram-se aos resvaladouros das paixões sexuais, procurando, no prazer imediato e relaxante, o que não conseguem através dos esforços renovadores do amor sem jaça e do bem sem retribuição. Eis por que a obsessão do sexo, decorrente do seu uso e sempre exigente de mais prazer, apresenta-se dominadora na sociedade terrestre dos nossos dias. Cada vez mais chocantes, as suas manifestações alargam-se arrastando jovens e crianças inadvertidos ao paul da depravação, em face da naturalidade com que os veículos de comunicação de massa exibem-no em atitudes deploráveis e aterradoras a princípio, para se tornarem naturais depois, através da saturação e da exorbitância, tornando-se mais grave a situação das suas vítimas, e mais controvertidos os métodos de reeducação e preservação da saúde emocional, psíquica e moral da criatura humana que lhe tomba nas malhas bem delicadas, mas vigorosas.

Simultaneamente, as legiões de Espíritos viciosos e dependentes dos fluidos degenerativos das sensações perversas sincronizam suas mentes nesses comportamentos doentios, passando a sofrer-lhes as injunções morbosas e devastadoras. A cada dia, mais difícil se torna a saúde sexual das pessoas, em razão desses e de outros fatores que procedem de reencarnações transatas, nas quais se comprometeram com os usos indevidos da função sexual, ou utilizaram-se do sexo para fins ignóbeis. Essa atitude gera processos danosos que as afligem, e obrigam-nas a retornar ao proscênio terrestre em situações deploráveis, atormentadas ante a multiplicidade de conflitos de comportamento, para logo tombarem nas viciações que ora predominam nos grupamentos sociais, fazendo-as vítimas de si mesmas e de outros do mesmo tipo, que se lhes acoplam em processos complexos de obsessões perversas e devastadoras.

O benfeitor silenciou novamente, exteriorizando na face a dor e a compaixão que lhe inspiravam os atormentados do sexo, aqueles que se lhe fizeram vítimas, todos os seus escravos e escravizadores.

Preservando o objetivo das elucidações, continuou no mesmo tom de mestre e de psicoterapeuta:

— *Destituído de equipamentos sexuais, o Espírito é neutro na forma da expressão genésica, possuindo ambas as polaridades em que o sexo se expressa, necessitando, através da reencarnação, de experienciar uma ou outra manifestação, a fim de desenvolver sentimentos que são compatíveis com os hormônios que produzem. Em face dessa condição, assume uma ou outra postura sexual, devendo desenvolvê-la e vivenciá-la com dignificação, evitando comprometimentos que exigem retornos dolorosos ou alterações orgânicas sem a perda dos conteúdos emocionais ou psicológicos. Isto equivale a dizer que, toda vez quando abusa de uma função, volta a vivenciá-la, a fim de recuperá-la, mediante processos limitadores, inibitórios ou castradores. Todavia, se insiste em perverter-se, atendendo mais aos impulsos do que à razão, dominado pelo instinto antes que pelo sentimento, retorna em outra polaridade que não o capacita para a sua manifestação conforme desejara, correndo o risco de canalização das energias de forma equivocada. Em assim acontecendo, o fenômeno se torna mais grave, produzindo danos perispirituais que irão exteriorizar-se em transtornos profundos da personalidade e da aparelhagem genésica.*

Em face dos processos evolutivos, muitos Espíritos transitam na condição homossexual, o que não lhes permite comportamentos viciosos, estando previsto para o futuro, um número tão expressivo que chamará a atenção dos psicólogos, sociólogos, pedagogos que deverão investir melhores e mais amplos estudos em torno dos hábitos humanos e da sua conduta sexual.

Jamais, porém, deve-se esquecer que o sexo, como qualquer outro órgão que constitui o corpo, foi elaborado para a vida, e não esta para aquele. Respeitar-lhe a função, utilizar-se dela com dignidade e elevação, reflexionar em torno dos objetivos da vida, fazem parte do compromisso para com a existência, sem o que são programados dores e conflitos muitos graves durante o trânsito das reencarnações.

Assim considerando, o abuso na conduta sexual e o seu abastardamento, na busca atormentada de prazeres mórbidos, constituem grave desrespeito às Leis Soberanas, cujo resgate se torna difícil e de longo curso em províncias de sombra e de dores acerbas.

Novamente silenciou, medindo as palavras que deveriam revestir-lhe o pensamento, a fim de dar continuidade à explicação:

— *Nesta noite, está programado o encontro com um dos Espíritos infelizes que responde pela inspiração da onda de loucura e insensatez na vivência do sexo e das suas manifestações.*

As lamentáveis e alucinadas propostas que apresentou à sociedade do seu tempo e as aberrações monstruosas geradas pela sua mente insana, que se distenderam pela Terra a partir das suas narrações soturnas e cruas, de alguma forma já eram conhecidas da Humanidade. Ei-las presentes nos hediondos espetáculos de Sodoma e Gomorra, da Babilônia, de Pompeia, da Grécia e de Roma com os seus atormentados imperadores, de algumas cortes devassas da Idade Média, havendo, porém, encontrado maior ressonância e aceitação pelos infelizes após as vivências do inditoso Marquês de Sade. Ele trouxe-as de experiências anteriores e ressumaram dos porões do seu inconsciente ultrajado, para oferecê-las como realizações de prazer aos desafortunados enfermos que, somente através das abjeções, da selvageria e da animalidade, lograriam proporcionar prazer nas suas buscas sexuais. Gerando obsessões incomuns, em face das vinculações que as suas esdrúxulas práticas propõem aos seus escravos, a legião de infelizes-infelicitadores é expressiva e aterradora ainda hoje na Terra. Somente através da compaixão elevada a uma grande potência é que podemos joeirar esse solo sáfaro e pedregoso sob um aspecto e pantanoso e pútrido sob outro, que é o da área genésica do ser humano, quando desrespeitada, a fim de semear equilíbrio e harmonia indispensáveis à comunhão feliz das almas.

Ante a situação deplorável em que muitos estorcegam nas apertadas malhas dos vícios sexuais e daqueloutros que os acompanham, tais o alcoolismo, o tabagismo, a toxicodependência, a banalização dos valores éticos e da vida, a Lei de Destruição, conforme assevera Allan Kardec, em O Livro dos Espíritos[5] *exercerá a sua função, destruindo para renovar, isto é, chamando ao sofrimento e aos desastres coletivos, às aflições chocantes, às lutas ensandecidas, aos trágicos acontecimentos, para que, por fim, os Espíritos rebeldes despertem para a realidade, para o significado da existência terrena, para os objetivos que têm pela frente, utilizando-se do corpo, do sexo, mas não vivendo apenas e exclusivamente deles ou para eles. Esse abuso resultante da utilização descabida responde pela loucura generalizada que a vida se encarregará de eliminar.*

A dor, a grande missionária silenciosa e dignificadora, lentamente trabalhará o ser humano, admoestando-o, esclarecendo-o e conduzindo-o à estrada reta, na qual se utilizará dos tesouros que se encontram em toda parte para a autoiluminação e o crescimento na direção de Deus. Nesse comenos, as suas funções genésicas serão transformadas em fontes de energia construtiva e trabalharão as imagens superiores que serão criadas pela mente e pelos desejos elevados, a fim de que se tornem também cocriadoras do belo, do útil, do nobre e do

---

5. KARDEC, Allan. *O Livro dos Espíritos*. Cap. VI, questões 728 a 733, 76. ed. FEB (nota do autor espiritual).

feliz. Até esse momento, passarão muitos séculos de dor e de prova, nos quais o ser humano, por livre opção, ainda preferirá as obsessões calamitosas e as paixões dissolventes à sintonia com a Divindade e à intuição libertadora do primarismo que, por enquanto, caracteriza-o.

Desse modo, exortemos a proteção do Sublime Criador, a fim de que os nossos tormentos, que procedem da noite remota das manifestações primevas e dos desalinhos morais que nos permitimos, então sejam superados com amor e sublimados, abrindo espaços nobres para as vivências do sentimento aureolado de bênçãos. Agradeçamos, também, à mãe Terra, as suas dádivas fecundas que nos facultaram desenvolver o Psiquismo Divino em nós adormecido, enflorescendo o seu solo generoso para nele depositar perfume e pólen fecundador de diferentes expressões de beleza e vida.

Silenciou. A voz estava embargada pela emoção e todos nos encontrávamos profundamente envolvidos pelas irradiações da sua mensagem de amor e de luz.

Automaticamente nos demos conta de que o momento esperado acercava-se. A psicosfera reinante, no entanto, era enriquecedora, dando-nos vitalidade e confiança ante a certeza de que os Céus sempre nos propiciavam, no ministério do amor, todos os recursos imprescindíveis aos resultados felizes.

Companheiros responsáveis pela sala de reuniões especiais começaram a prepará-la para o evento, movimentando singulares aparelhos que foram colocados em diferentes lugares, como que para oportuna utilização, de modo a serem evitados quaisquer prejuízos em relação ao cometimento significativo.

Os Espíritos que não se encontravam comprometidos com o programa que nos trouxera à Instituição afastaram-se discretamente, após as despedidas gentis, e em breves momentos encontrávamo-nos apenas os que constituíam a nossa caravana inicial: o venerando Dr. Bezerra de Menezes, madre Clara de Jesus e mais dois assessores, que nos trouxeram D. Martina, o padre Mauro, o médium Ricardo, ambos em desdobramento espiritual e uma Entidade assinalada pelo horror, com terríveis deformações perispirituais, que foi recolhida a um leito especial. Pude depreender que se tratava do Espírito Rosa Keller, em profundo estado de hibernação, ressonando de forma dolorosa, geradora de constrangimento e de compaixão.

Enfermeiros e padioleiros espirituais postaram-se junto à parede do recinto, formando um grupo de apoio preparado para socorros específicos que se fizessem necessários.

Logo depois, do teto desceu um aparelho reluzente, no qual se encontrava uma lâmpada de amplas proporções que irradiava suave claridade bem diferente daquela que eu conhecia até o momento.

Ante a minha muda interrogação ao benfeitor, este explicou-me tratar-se de um equipamento de energia especial, que seria utilizado caso a rebeldia do marquês, e de alguns dos seus asseclas que seriam recebidos, apresentasse algum perigo em relação aos aguardados resultados superiores do empreendimento em pauta.

Percebi que o referido aparelho era acionado por uma espécie de controle remoto mental e a sua exteriorização luminosa obedecia ao mesmo recurso.

Inesperadamente começamos a ouvir uma balada coral, como se vozes angélicas, homenageando o Criador, entoassem uma música de incomum beleza que possuía o condão de enriquecer-nos de energias, enquanto produzia emoção profunda que nos tomava os sentimentos preparados para a captação das concessões do amor.

Não podíamos dominar as lágrimas que nos desciam dos olhos, que nasciam no coração invadido por profunda gratidão ao Pai Celeste, que nos honrava com imerecida deferência no culto do dever, o qual nos dizia respeito para a própria evolução.

Como ficar indiferente a esse Amor que é a vida da nossa alma, que se extasia, incapaz de entendê-lo em profundidade?

Nesse momento, tomando a palavra, a doce e meiga voz de madre Clara de Jesus propôs-nos:

— *Oremos em silêncio, aguardando a vontade do Senhor de todos nós, confiando na Sua inefável Misericórdia.*

16
O REENCONTRO

Nesse comenos, acercou-se de madre Clara um dos vigilantes da Instituição trazendo valiosa informação. A veneranda Entidade comunicou ao irmão Anacleto que os convidados acercavam-se do local. Escutamos sons de fanfarras estridentes e vozerio agitado, misturado a tropel singular. Atendendo a invitação mental do benfeitor, acompanhamo-lo à porta de entrada e fui tomado por peculiar surpresa ante o espetáculo que defrontei.

Estranho cortejo, imitando bizarro desfile de carnaval, acompanhava o Marquês de Sade, postado em um carro alegórico de confecção igualmente vulgar, puxado por *animais* que faziam recordar figuras mitológicas do panteão greco-romano. Tochas inflamadas de tonalidade amarelo-avermelhada iluminavam a madrugada escura, enquanto fumo de odor desagradável empestava o ar.

Os áulicos do antigo nobre retorciam-se em dança asquerosa, enquanto os Espíritos frívolos, que faziam parte da comitiva, aplaudiam-no estentoricamente. Outros, que se comprazam na vadiagem e que foram atraídos pela exótica exibição, formavam verdadeira multidão de pândegos, que gargalhavam e desfrutavam da vulgaridade como se houvessem encontrado novo espetáculo para o prazer doentio.

Parecendo antigo paxá, que se fazia acompanhar de escravos, que ostentavam imensos leques de plumas imundas, acolitando-o, desceu do carro horrendo, assumindo a postura de personalidade de alto coturno, ao mesmo tempo ridícula, e encaminhou-se à porta de acesso, onde foi recebido pelo abnegado instrutor. Os vigilantes da Instituição abriram alas para que passassem o convidado e parte da sua comitiva, adentrando-se no salão de conferências onde foram acomodados, pelo menos aqueles que pareciam ser os mais representativos do grupo.

Percebi que a psicosfera dantes reinante, suave e carregada de vibrações de dulçorosa paz, foi-se alterando sensivelmente ante o exsudar das energias pestíferas de que se faziam portadores os recém-chegados, tornando-se mais pesada. Simultaneamente, não acostumados a esse clima psíquico renovador, alguns deles demonstravam mal-estar, dificuldade respiratória e inquietação, decorrentes dos fluidos absorvidos, que lhes funcionavam como recurso terapêutico desintoxicante dos vapores venenosos a que se adaptaram.

Tornou-se visível o desagrado que se estampava naquelas faces congestionadas e assinaladas pelo desespero maldisfarçado da imensa angústia que os vitimava.

O Marquês de Sade foi recebido com gentileza e humanidade, mas sem qualquer distinção de que se acreditava merecedor, sendo tratado com respeito fraternal.

Enquanto parte da massa era acomodada na sala de expressiva proporção, o marquês e mais alguns poucos sequazes foram conduzidos ao setor de atividades mediúnicas, reservado para labores especiais em nossa Esfera de ação.

À medida que ele se adentrava pela intimidade do recinto, foram desaparecendo-lhe a arrogância e a autossuficiência, estampando-se no rosto, agora contraído, o enfado, o desagrado, um quase arrependimento por haver aceitado o desafio.

Sem preâmbulos de apresentações não necessárias, o convidado sentou-se em lugar que lhe foi indicado e os seus áulicos permaneceram a regular distância, não escondendo a curiosidade que bailava nas suas faces.

O irmão Anacleto, sem mais delongas, explicou ao visitante que ali se encontrava alguém que se lhe vinculava desde há muito tempo, e que necessitava de apoio para libertar-se da desdita em que mergulhara, fazia mais de dois séculos. Tratava-se da rapariga Rosa Keller, que ele conhecera em plena juventude.

De imediato, a paciente foi trazida e colocada sobre uma cama que se encontrava no centro do semicírculo. Ressonando, estertorava com seguidas convulsões que a desnaturavam, apresentando um aspecto deplorável.

O marquês contemplou-a, algo surpreso, e desabafou:

– *Essa infeliz foi responsável por muitos dissabores que me acometeram após haver-me relacionado com ela. Por sua causa fui levado ao cárcere e nunca a perdoei. Com ela começou o meu período de humilhações, que soube superar, mantendo-me inatingido pelos meus inimigos e perseguidores.*

– Sem dúvida – redarguiu o mentor –, *com a pobre Rosa o senhor marquês exteriorizou os tormentos que o afligiam e o celebrizaram nos seus espetáculos de perturbação sexual.*

Mas não foi a pobre vítima quem se fez responsável pelas consequências da crueldade praticada para com ela, quando abusou da sua inocência e a levou a um estado de quase morte, tais as escabrosidades e vilezas praticadas. Foi o estado lamentável em que o senhor marquês a deixou, que despertou o interesse da polícia para punir esse comportamento hediondo, o que redundou no seu primeiro encarceramento...

Ele quis protestar, porém, sentiu-se inibido pela primeira vez. O clima psíquico reinante no ambiente diminuía-lhe a capacidade de comunicação, especialmente à que se encontrava acostumado na furna em que reinava.

– *A partir daquele momento* – prosseguiu o mentor –, *desprezada e perseguida por todos quantos lhe conheciam a desdita, Rosa passou de mão em mão, cada uma caracterizada por maior hediondez, até que tombou desvairada na mais áspera degradação humana, em um hospício, sendo seviciada por outros doentes que lhe compartiam a desventura... E desde quando desencarnou, vem sendo arrastada por Espíritos cruéis para sítios de horror onde tem permanecido, evocando aquele que a infelicitou e desejando desforçar-se. Passaram-se dois séculos de dor e de sombra, de falta de esperança e de alegria, até que, mais recentemente, luziu-lhe bendita oportunidade, que agora está sendo convertida em recuperação. Para que haja, no entanto, o reequilíbrio, faz-se necessário percorrer um longo caminho, que ora se inicia.*

O amigo fez uma pausa, e logo deu prosseguimento:

– *Não nos referimos apenas a Rosa Keller, mas a todos quantos foram vítimas dos desvarios do senhor marquês, cuja memória na Terra está associada às páginas de Justine, de Juliette e de outras personagens moralmente enfermas, e que hoje se alastram pelo mundo como espetáculos de primitivis-*

mo, de barbarismo. *Gostaria de apresentar ao nosso convidado uma sua antiga amiga, Madame X.*

Mauro, adormecido, foi conduzido igualmente por padioleiros vigilantes e colocado em outro leito ao lado de Rosa Keller.

O marquês olhou-o e revidou, surpreso, interrogando:

– *Sei que minha querida amiga se encontra nessa estranha forma de sacerdote explorador da infância, mas que tenho eu com o problema?*

– Realmente – elucidou o irmão Anacleto. – *O caro marquês tem muito a ver com as suas atitudes atuais, porque ela tem sido sua hóspede durante muitas bacanais na cidade perversa, onde cada vez mais se nutre de miasmas doentios e escravizadores. Nesta conjuntura, porém, a sua existência deverá redefinir rumos para o futuro, porquanto está a um passo da loucura ou do suicídio, tais os desmandos que se tem permitido sob sua inspiração. Convenhamos que o império da sensualidade e da morbidez, por mais longo se manifeste, é sempre de duração efêmera, não podendo prolongar-se indefinidamente sem consumir aqueles que o vitalizam.*

– *Não tenho nada a ver com isso* – ripostou, alterado, o marquês. – *Houvesse previsto que, afinal, não existe nada contra mim, que não seja o repetir dos mesmos argumentos insossos com que sempre sou acusado, e não teria perdido o meu tempo em aceitar esta entrevista-farsa. Não ignoro, é claro, os artifícios de que se utilizam os puritanos e frustrados do sexo, para desmantelarem a nossa organização, o que sempre vem redundando em inutilidade, já que somos poderosos e contamos com o apoio dos homens reencarnados na Terra e outros que se encontram fora do corpo. O sexo é o objetivo único da existência execrável que a vida nos concede. Fruí-lo até a destruição de si mesmo é a única finalidade de que dispõe o ser humano. Sei, por experiência pessoal, que a vida não passa de uma neblina que a nossa mente vitaliza ou desorganiza. Tudo quanto operamos pelo pensamento torna-se realidade, merecendo, portanto, somente existir o que nos agrada e nos compensa emocionalmente. Sei que um dia me extinguirei, como o fumo que desaparece tão logo termina a fonte de combustão. Por isso, reinarei nos meus domínios, propiciando a todos quantos pensam e gozam como eu, o prazer infinito e variado que a imaginação pode conceber...*

– Lamentável quimera – elucidou o benfeitor – *na qual o amigo não acredita. Os longos anos de exorbitância e de despudor laceraram-lhe a alma, cujos* tecidos *sutis estão pejados de energias tóxicas, que se vão transformando em tédio com irrupção de violência cada vez mais selvagem, sem atender o insaciável desejo de mais gozo. Tudo chega a um ponto de saturação, até o mal que cada qual se faz a si mesmo e ao seu próximo, transformando-se em flagelo íntimo, que não mais proporciona o prazer mórbido por ocasionar danos e sofrimentos nos demais. É o que vem ocorrendo com o senhor marquês... Soa-lhe, também, a hora da exaustão. A sua imaginação não mais pode conceber nada que não haja sido experienciado. A decantada liberação sexual entre os seres humanos, sob a sua e outras odientas inspirações, que chegou à Terra por inúmeros ex-residentes da* cidade perversa, *e após o impacto novidadeiro vem perdendo adoradores, enquanto alguns ambiciosos, incapazes de progredir mediante processos de honradez e de valor, apelam para as cavilosas manifestações da promiscuidade e das aberrações, fazendo que logo mais esteja totalmente ultrapassada. O ser humano aspira, queira-o ou não, a ideais mais elevados e a patamares diferentes de experi-*

ências emocionais, nos quais as sensações são transformadas em emoções em torno do bom, do belo, do libertador. Toda canga pesa demasiado até tornar-se um fardo insuportável... É o que vem sucedendo com o senhor marquês. Podemos identificar a sua necessidade de renovação, captamos as suas aspirações pela liberdade e os anelos íntimos por novas experiências...

Calou-se, por um pouco, e logo deu prosseguimento:

– Enquanto alguns iniciantes encontram-se deslumbrados pelos prazeres exóticos e pelas aberrações da loucura, desejando vivê-los até a exaustão, na viagem sem sentido do corpo, que pretendem prolongar fora das vísceras orgânicas, aqueles que se têm entregado à luxúria e ao despautério encontram-se lassos e já desinteressados do jogo ilusório dos sentidos, experimentando a falta do sentimento do amor. Sem o amor, a vida não tem qualquer objetivo, nenhum significado, porque toda sensação desaparece após ser atendida, enquanto que as aspirações do afeto, do sentimento da beleza, do conhecimento profundo, da autorrealização, da plenitude, cada vez mais motivam, porque têm caráter e sabor de infinito. Não pense, porém, o senhor marquês, que estamos desejando violentar-lhe a forma de viver, pela qual optou espontaneamente e à qual se vem entregando desde há expressivo tempo... O nosso é o interesse de libertar Rosa Keller e Madame X, bem como algumas das vítimas da insidiosa enfermidade que as afeta e que, certamente, com o seu auxílio, será erradicada, beneficiando-o também.

O marquês estrugiu ruidosa gargalhada, esfogueando o semblante deformado, num aspecto mais de máscara que de face, com anomalias decorrentes das construções mentais, que o apresentava com características de algum fauno mitológico estranho e aberrante.

A um sinal quase imperceptível do irmão Anacleto, Dilermando, que se encontrava vigilante, aproximou-se de Mauro e começou a aplicar-lhe passes dispersivos, a princípio sobre os *chakras coronário* e *cerebral,* como se estivesse dissolvendo energias condensadas naquelas áreas, para logo prolongar os movimentos na direção longitudinal do corpo adormecido. Lentamente o perispírito do sacerdote assumiu a forma feminina, e Madame despertou recuperando a lucidez com relativa facilidade. Logo após, percorreu os olhos pelo ambiente e identificou o Marquês de Sade, que não sopitou a surpresa do reencontro, sorrindo jovialmente e algo estimulado, provocando na Entidade inesperado constrangimento, quase um receio que não se esforçou por ocultar.

A psicosfera ambiente, apesar de saturada de energias superiores, foi-se tornando mais densa, à medida que as Entidades convidadas começaram a exteriorizar os anelos do seu psiquismo atormentado.

Não dominando a surpresa, o Marquês de Sade acercou-se de Madame X e desejou cingi-la em um abraço afetuoso, no que foi discretamente repelido, causando-lhe singular desagrado.

O irmão Anacleto utilizou-se da ocorrência para informar que, naquele momento, seriam estabelecidas diretrizes novas para o futuro, tendo em vista que o império da desordem e da desestruturação de algumas vidas deveria ceder lugar a cometimentos diferentes, ensejando a edificação da felicidade para todos quantos se encontravam envolvidos na urdidura da insensatez.

Com segurança e entonação de voz especial, propôs que se iniciassem as atividades espirituais através de uma oração, que solicitou ao nobre Dr. Bezerra de Menezes proferir.

Sem qualquer delonga, o mensageiro da Luz exorou, sensibilizado, a todos tocando-nos igualmente:

— *Jesus, Psicoterapeuta por Excelência!*

Asfixiados no paul das emanações morbíficas decorrentes da inferioridade moral que ainda nos caracteriza, erguemos o nosso apelo à Tua magnanimidade, a fim de que nos arranques do lodaçal em que nos retemos.

Cansados do vaivém da loucura que tem ressurgido nas diversas experiências reencarnatórias, predispomo-nos a recomeçar com disposição nova, por sentirmos chegado o momento da libertação dos condicionamentos infelizes que nos temos permitido ao longo dos séculos de perturbação e primarismo.

Tens-nos distendido mãos generosas e seguras, tentando elevar-nos, enquanto teimamos na permanência da acomodação infeliz, sem aspirações de plenitude.

Utiliza-Te deste momento de reflexão e alça-nos às regiões luminíferas da Espiritualidade onde possamos haurir energias vitalizadoras, que nos emularão ao crescimento interior longe da perturbação e da desordem.

Não é a primeira vez que recorremos ao Teu auxílio, que tem estado aguardando pelas nossas decisões, no entanto é o momento especial em que nos dispomos realmente à mudança e buscamos o Teu magnetismo, a fim de encontrarmos a saúde espiritual que nos vem faltando.

Todos quantos aqui nos encontramos somos os novos filhos do Calvário, despertando para avançar no rumo dos altos Cimos.

Alonga-Te até nós, e sem considerar os nossos pesados delitos, enseja-nos a recuperação indispensável para o recomeço feliz dos tentames iluminativos.

Jesus, Benfeitor Incessante, aguardamos que venhas até nós, que nos encontramos em expectativa de paz e de renovação.

Quando silenciou, iluminado interiormente por peregrina claridade irradiante, percebemos que flocos diminutos igualmente luminosos caíam do alto e, tocando-nos todos, assinalavam-nos com pontos refulgentes que nos produziam inefável bem-estar.

O Marquês de Sade, que não estava acostumado a algo dessa natureza, observou a ocorrência entre espantado e receoso, não podendo, porém, ocultar o prazer decorrente da sensação que lhe causava o desconhecido benefício.

Enquanto madre Clara de Jesus envolvia Rosa Keller em energias saturadas de harmonia, a enferma, com as deformações que lhe assinalavam o perispírito, recobrou totalmente a lucidez, e reconhecendo o seu algoz, pareceu tresvariar, gritando desordenadamente:

— *Que faz aqui esse monstro? Novamente irá torturar--me? Não lhe bastam os longuíssimos dias da minha desgraça? Ainda tenho as carnes dilaceradas pela sua loucura assassina. Socorra-me, alguém, por piedade!*

— Acalme-se, minha filha — disse-lhe madre Clara de Jesus, aplicando-lhe energias dulcificantes. — *O senhor marquês não mais pode afligir a ninguém. A partir deste momento, também ele se encontra em tratamento, dando o primeiro passo para rumar noutra direção.*

— Deve ser loucura — interveio o convidado especial, imprimindo na voz ironia e desdém. — *Eu aqui me encontro voluntariamente e sem nenhuma disposição para mudar de atitude ou iniciar qualquer* tratamento, *pois me reconheço saudável e bem-disposto no que faço, conforme me sinto e ao que aspiro.*

Acercando-se-lhe, o irmão Anacleto esclareceu-o:
— *Sabemos como o caro amigo se encontra e sente-se. Nada obstante, aqueles que têm sido suas vítimas anelam pela libertação, estão cansadas das sevícias e dos maus-tratos, especialmente a nossa amiga Rosa, que, após libertar-se da prisão no Castelo de Y, vem recebendo tratamento adequado para o reencontro com a felicidade.*

Enquanto isso, a vítima do sicário continuava gritando aparvalhada:
— *Não me deixem voltar para aquele inferno. Eu tenho direito à paz. Sei que sucumbi mil vezes a todos os tipos de torpeza moral, mas não possuía discernimento nem capacidade para lutar contra a desgraça que me devorava por dentro.*

— *Sabemos disso, minha filha* — prosseguiu a gentil mentora. — *Ademais, você se encontrava hipnotizada desde quando deambulava pelo mundo nos trajes desgastados da perversão moral a que se entregou. Agora surge uma diferente madrugada, em que você lentamente irá recuperar-se. Não tema, nem se deixe sofrer, porque o Mestre do Amor ouviu o seu grito rogando socorro e atendeu-a. Ninguém se encontra perdido indefinidamente. O poder maléfico exercido contra você não possui mais qualquer força que a submeta aos caprichos que vicejavam até há pouco. Confie e ore neste momento decisivo da sua vida.*

— *Ele desgraçou-me e a muitas vidas* — acusou a infortunada —, *e submeteu-nos a sofrimentos insuportáveis nas furnas em que nos reteve por longos, infinitos anos, que não sei contar... Ali, no Castelo, a crueldade não tem limites...*

— Todos o sabemos, minha filha, e por isso aqui estamos reunidos, a fim de decidirmos como seguirão as suas existências a partir deste momento.

Nominalmente acusado, o marquês esbravejou:
— Sempre foi uma louca, a desgraçada, por cuja causa eu sofri penalidade injusta. Por isso mesmo, após a sua morte vergonhosa, arrebatei-a para os meus domínios, no Castelo que eu próprio ergui, onde a explorei a expensas dos meus interesses, como é compreensível. Foi ela quem me seduziu, ou melhor dizendo, quem me perturbou a juventude, atraindo-me, vulgar e perversa, aos seus encantamentos sensuais. Açulado nos meus instintos, dilacerei-a, esfogueado pelos desejos que irromperam dominando-me todo o corpo e a mente. Odeio-a e lamento não haver feito muito mais, a fim de submetê-la, exemplo típico da ralé e do lixo social. Ela pensava certamente que me conquistaria, quando lhe emprestaria meu nome e meus títulos. Pobre insana!

E prorrompeu em estrídula gargalhada, que tinha mais o aspecto de loucura que mesmo de alegria ou de satisfação.

— Ele mente — gritou Rosa —, porque eu não fui a primeira, nem mesmo a causadora do seu primeiro encarceramento. Por acaso ele se esqueceu de Jeanne Testard, das blasfêmias contra Deus, Jesus, Maria e os atos religiosos, bem como do abuso praticado contra ela que se recusava a atendê-lo? O seu primeiro encarceramento foi resultado desse hediondo e nefasto crime, não por minha causa. Comigo, pobre tecelã, em Arcueil, tudo começou com o seu estranho psicodrama sexual, que terminou na minha flagelação sob ameaça de morte. Se eu não houvesse fugido pela janela aberta e contado a todos quantos encontrei e se estarreciam com o meu estado, o infame *ficaria impune... Nem desejo referir-me à sua vida incestuosa com a própria irmã... No entanto, graças à sua posição social, ele sempre conseguiu a liberdade, evitando a pena de morte, mesmo após condenado mais de uma vez, enquanto suas vítimas ficamos desgraçadas para sempre, na Terra e mesmo depois da morte...*

Nesse momento, Madame X, totalmente desperta e lúcida, interveio:

– *Também estou cansada de tanta desgraça. Necessito ser livre para crescer e ser feliz. Não mais suporto a pressão que me submete, nem a insaciabilidade que me queima interiormente, buscando novos e sórdidos comportamentos. O cansaço asfixia-me e o horror de mim mesma toma proporções com as quais já não posso conviver. Aspiro a novos comportamentos, necessito libertar-me da luxúria, da sensualidade perversa que me destrói. É demasiadamente alto o preço de cada comportamento desditoso, infelicitando vidas infantis que estertoram no meu regaço, enquanto a perversão me consome sem cessar...*

– *E que tenho eu com isso?* – interrogou o marquês.

– *Serei também responsável pela sua casa de perdição nos arredores de Paris, onde se praticavam aberrações que me faziam corar? Quando a visitei por primeira vez já era um antro de prostituição da mais baixa qualidade. Poderia mesmo afirmar que ali aprimorei alguns dos meus métodos, tal a excelência do que ocorria em excesso de depravação e criminalidade... Introduzi o uso de comportamentos sexuais com animais na parte inferior da* Maison, *porque os seus frequentadores eram menos que os próprios quadrúpedes ou com eles se assemelhavam. Já me encontrava bastante debilitado em forças, naquele período, porém suficientemente lúcido para* aquilatar em torno dos resultados dos favores que podia fruir e proporcionar aos demais.

— Não me escuso à responsabilidade nem a nego — respondeu Madame. — No entanto, estou cansada de luta intérmina e inglória. O domínio que a sua mente exerce sobre mim, levando-me sempre de retorno à cidade, é o que desejo romper, para poder avançar com menos dificuldade e menor pressão emocional. Liberte-me, por favor, da sua hipnose destruidora!

Madame estava sinceramente comovida, e no apelo que lhe partia do imo exteriorizavam-se as energias que lhe foram ministradas nos dias precedentes, fortalecendo-a para aquele encontro singular.

O rosto do marquês congestionou-se e ele parecia pronto para uma explosão sem precedentes. Iracundo e cínico, deblaterou:

— Que tribunal ridículo é este? Estive, na Terra, muitas vezes, diante de juízes e acusadores, de severos justiceiros e de cínicos membros do puritanismo social, que se apresentavam como portadores da verdade, da dignidade e do respeito humano. Esses mesmos hipócritas promoviam as guerras, em algumas das quais estive defendendo-os e à França, enquanto eles se escondiam para fugirem às batalhas. No entanto, não trepidavam em punir-me com a sua falsidade, porquanto não poucos se permitiam realizar às ocultas os prazeres que criei, condenando-me em mecanismos de autopunição, que não tinham coragem de infligir-se. Nada mudou, inclusive entre os mortos. E são os senhores os representantes da verdade, da honradez, da felicidade humana que me querem impingir culpas, que não as tenho, pensando em mudar-me o destino? Estão profundamente enganados, porque também eu conheço *alguns dos mecanismos das Leis que regem o Universo. Eu somente me permiti fazer o que achei melhor para mim mesmo e para todos aqueles que, à minha semelhança, desejavam uma vida de prazer e não tinham coragem de realizá-la. Eu apenas direcionei-os para o que sempre desejaram. Gênio, que sempre fui, soube cercar-me de amigos e cooperadores que me compartiam as experiências e se extasiavam com elas. Por isso, a justiça, sempre corrupta, não conseguiu vencer-me.*

– *Ninguém deseja violentar o sofrido amigo...* – interferiu o irmão Anacleto.

Interrompendo o venerável guia, o marquês interrogou:

– *Como se atreve a dizer que sou um* sofrido amigo? *Nem sou sofrido e muito menos seu amigo. Eu sou um dos senhores da* cidade do prazer, *sem dúvida, sem amigos, porque sou poderoso e estes não têm amigos, e sim áulicos, bajuladores... Não me venha, pois, com pieguismos cristãos, de que me libertei quando ainda jovem, embora a religião da época me tenha absolvido e me sepultado com as suas bênçãos que, como vê, não adiantaram nada...*

Mantendo-se inalterado, o benfeitor prosseguiu, calmo e seguro:

– *O nosso* sofrido amigo *está também cansado da farsa que se vem permitindo, porque, na relatividade das ações infelizes, momento sempre chega em que o indivíduo, saturado e aturdido, busca a realização suprema da vida, que é o amor. E o amor é a única resposta para todas as questões perturbadoras da Humanidade.*

Nesse momento, escutamos uma doce voz que nos chegava de Esfera superior e alcançava-nos a acústica da alma, produzindo-nos elevada emotividade.

O venerável Dr. Bezerra de Menezes dirigiu-se à porta de entrada da sala e recebeu nobre Entidade acolitada por mais dois Espíritos elevados, que envolta em diáfana luminosidade, entoava comovedora canção de ninar.

Os sofredores, surpreendidos pelo doce enlevo e encantamento dos visitantes, não puderam esconder a emoção que os tomou, enquanto, nós outros, igualmente felicitados pelo inesperado acontecimento, deixamo-nos envolver pela Misericórdia de Deus, tomados pela expectativa dos próximos acontecimentos.

Era a primeira vez que participava de uma atividade espiritual de grande porte e acontecia algo semelhante, com fins psicoterapêuticos, ao mesmo tempo de alto significado.

Não pude evitar a curiosidade que bailava em minha mente. Quem seria a virtuosa visitante? Qual a finalidade da sua presença?

Não me pude entregar a excogitações dessa natureza, porque, ao adentrar-se no recinto e fazê-lo recender peculiar aroma espiritual, vimo-la acercar-se do Marquês de Sade, envolvendo-o em um olhar inesquecível.

As vibrações superiores tomavam-nos a todos, produzindo inefável sensação de paz.

O trânsfuga espiritual, reconhecendo a iluminada visitante, atirou-se de joelhos, e gritou em lágrimas que, subitamente banharam-lhe o rosto, exclamando:

— *Mamãe! Novamente você vem salvar-me, descendo do paraíso até o inferno em que me encontro?*

— *Donatien-Alphonse* — enunciou com inabitual musicalidade na voz —, *venho em nome do Amor para estar contigo. Ainda não mereço o paraíso, nem te encontras no inferno.*

Estamos ambos na Casa do Pai, *em regiões diferentes, a serviço das Suas incomparáveis Leis. Tem bom ânimo e renasce para a vida, mais uma vez, arrancando do teu íntimo o câncer que te vem consumindo há tanto tempo. É chegado o momento de recomeçar...*

17
LIBERTAÇÃO E FELICIDADE

Enquanto a genitora, aureolada de luz, confortava o filho, percebendo-me a perplexidade, o irmão Anacleto informou-me mentalmente:

— *Trata-se da veneranda mãe do infeliz marquês, que na Terra se chamava Marie-Eléonore, que não poucas vezes utilizou-se da influência do nome e da sua posição na corte, especialmente como dama de companhia da princesa de Condé, para libertar do cárcere e mesmo da pena de morte o filho inditoso e rebelde.* Havendo desencarnado com a alma dilacerada pelas atrocidades que ele praticara contra muitas vidas, sofrida ante a herança nefanda que o filho atirara sobre o nome da família, vem trabalhando desde então para este encontro, que somente hoje foi possível realizar. Uma das Entidades felizes que a acompanham é o abade Amblet, que foi o preceptor particular do marquês e procurou ser-lhe amigo fiel por toda a vida, mesmo durante as loucuras que o levaram, por fim, ao manicômio no término da existência malfadada. Como se pode depreender, nunca falta a presença da Misericórdia de Deus ao mais terrível infrator, como abençoado sol que aquece o pântano, que dele nem sequer dá-se conta, a fim de purificá-lo, sem pressa nem punição.

A nobre visitante ergueu o filho infeliz e envolveu-o em um abraço de ternura, ao que ele, tentando desvencilhar-se, acentuou:

– *Eu sou todo podridão, enquanto você é o lírio mais puro que medra no jardim irrigado de sol.*

– Filho da alma! – retrucou a Entidade elevada. – *Somos todos filhos do mesmo Pai, que nos gerou para a felicidade e nunca para a permanente desventura. Escolhemos o difícil caminho por livre opção, e, não poucas vezes, demoramo-nos nos desvios, até o instante em que nos chega o socorro, a segura diretriz que nos liberta de nós próprios. E este é o nosso instante. Em muitas ocasiões tentei visitar-te na tua cidade, mas o momento não era chegado. Tenho ouvido as rogativas de muitas mães, cujos filhos tombaram nas redes do seu desar, alguns dos quais lá permanecem nas furnas e antros de perversidade e insensatez, cansados de sofrer e loucos por novos prazeres que não sabem mais experienciar. Reconheço que cada um de nós escolhe sempre o caminho com o qual mais se identifica, permanecendo nele enquanto convém. No entanto, aqueles que nos induzem a determinadas atitudes, se não são responsáveis diretos pela ocorrência, são-no indiretamente, por haverem contribuído para a eleição dessas condutas. E, no caso, o filho querido tem sido estímulo e modelo, encantamento e motivação para que muitas patologias sexuais encontrem campo de exteriorização e mercado para o seu estranho infeliz comércio.*

Ela fez uma breve pausa, a fim de que todos nos impregnássemos dos seus sábios conselhos, permitindo que se ouvissem os choros convulsivos de Rosa Keller, de Madame X, amparadas pelos mentores do labor espiritual.

Logo após, deu prosseguimento, argumentando:

— *Dia próximo se anuncia em que a fraternidade legítima estenderá braços protetores a todos os indivíduos. Os sicários de agora se tornarão protetores das suas antigas vítimas e os maus dar-se-ão conta da necessidade de se tornarem bons, a fim de fruírem de felicidade, no convívio ideal, construindo o mundo melhor anunciado por Jesus.*

Todos, no processo da evolução, experimentam erros e acertos, optando por quais recursos mais utilizar-se, a fim de encontrarem a dita que almejam. Alguns, que se equivocam, detendo-se na alucinação que elegem como meio de ventura, agredindo-se e afrontando o determinismo das Leis Divinas, podem demorar-se por largo período no engodo, até o momento em que soa a sua libertação, não mais suportando as amarras nas quais estertoram. Luze sempre a claridade do amor na sombra mais densa, e a Misericórdia de Deus está sempre próxima de todos, bastando apenas que cada um se permita sintonizar com os valores elevados do Espírito, para ser beneficiado e começar a sua libertação. Por mais se alonguem os dias do terror e da enfermidade espiritual, sempre chega o momento da paz e da cura apontando o roteiro para Deus. Ninguém, desse modo, poderá fugir desse Divino Tropismo que é a Fonte geradora de toda energia e vida.

Aproveita, portanto, meu amado Donatien, para recomeçares a trajetória, que neste momento se encontra nublada de sombras e plena de misérias, para poderes fruir da paz que, desde há muito, perdeste em relação a ti mesmo e a todos nós, que te queremos.

O atormentado Espírito, tomado por copioso pranto, quase em convulsão, protestou:

— *Não posso abandonar tudo de uma só vez. Aqui, comigo, estão centenas de companheiros que residem em nossa* comunidade *e necessitam de mim. Aguardam-me, em sala contígua, e devem estar ansiosos ou desesperados, sem saberem o que me acontece. Ainda não posso, mamãe, seguir a estrela, ficando no charco, onde apodreço, assim reparando todos os crimes cometidos e aqueloutros que continuo praticando... Perdoe-me, por havê-la feito descer de algum astro sem poder erguer-me com a sua vara de condão, com o seu amor de misericórdia... Sou mais desgraçado do que pareço. O ódio da minha loucura, a alucinação que me assalta, o desespero em que resfólego impedem-me de enfrentar o cárcere de correção. Ainda prefiro esta vida maldita à recuperação mediante outros tipos de sofrimento, de consciência culpada e atormentada...*

— Donatien-Alphonse — redarguiu a genitora sábia —, *ignoras o procedimento das Leis Divinas e considera-as conforme a tua caótica capacidade de entendimento. A Justiça de Deus não é feita de desforços, nem se utiliza dos mecanismos terrestres de cobrança e de punição. Todas elas têm como fundamento o amor, e este funciona mediante os valores arquivados na consciência de cada qual. Não podes imaginar o que te está reservado, antes que experimentes o doce convívio com a verdade. Afinal, os irmãos e seguidores que te aguardam, encontram-se igualmente amparados neste reduto espiritual de socorro que te recebe e os envolve em ondas de paz. Mesmo que te recuses aos benefícios desta hora e queiras retornar à tua* cidade, *serás surpreendido pelo número de acólitos que terão preferido ficar aqui, desfrutando da esperança de harmonia e de felicidade, conforme já está acontecendo. Grande número daqueles que te seguem, infelizes e submissos, não estão concordes contigo, mas temerosos de ti, deixando-se consumir pelas labaredas de sensações que já não os movimentam, porque diluídas no seu corpo perispiritual, somente o pensamento as vitaliza, atormentando-os mais do que lhes produzindo prazer. Ademais, tu não és responsável pelos seus destinos. Foram eles que se fixaram aos teus desmandos, mediante o convívio psíquico com as tuas propostas perversas, e têm o direito de libertar-se logo alterem a paisagem mental e a opção evolutiva. Pensa, portanto, agora, em ti, na felicidade que está ao teu alcance, no teu novo e oportuno projeto de vida.*

Silenciou, por um pouco, enquanto o envolvia em dúlcida vibração de paz, segurando-lhe as mãos e vitalizando-o com sua energia superior.

Continuando, disse-lhe com meiga voz:

— *Voltaremos ao corpo novamente juntos. Eu irei primeiro, a fim de preparar-me para receber-te. Depois seguirás, após um período de depuração, quando te libertarás da intoxicação demorada destas energias que te oprimem e desgastam. Volveremos a estar juntos. O meu regaço te embalará com ternura e fruirás de venturas, que Deus nos concederá a ambos. De alguma forma, tenho necessidade de estar ao teu lado, a fim de contribuir para o teu renascimento espiritual, por sentir-me também responsável pelos acontecimentos que te assinalaram a existência. A convivência na Terra te iluminará a consciência; reencontraremos aqueles a quem prejudicamos e poderemos auxiliá-los, ascendendo do vale sombrio no rumo do planalto da vera fraternidade. Não te escuses à iluminação nesta oportunidade, porquanto não podemos prever quando te surgirá outra bênção semelhante.*

Reconheço que não será um tentame simples, nem uma viagem de natureza romântica ao país da fantasia ou dos sonhos. Será uma experiência de iluminação e de eternidade. Não são poucos os Espíritos que se transviaram do caminho do Bem e do amor para seguirem a senda tormentosa das paixões primevas e alucinantes. Ódios em sementeira de desespero traçaram incontáveis desvarios, que se multiplicam em sórdidas consequências e que temos de transformar em esperança e alegria. Compreendes que não se convertem espículos em flores sem que se arrebentem interiormente do invólucro em que dormem, a fim de esplenderem na claridade do dia. Adversidades e testemunhos dolorosos uns, enquanto angustiantes outros, nos aguardam na grande viagem de recomeço transformador. Terás o meu carinho a todo instante e as bênçãos de Deus te assinalarão a marcha nos limites que te serão impostos pela própria necessidade de crescer, sem riscos desnecessários de novamente tombares nos desvãos da impiedade...

E porque desse sinais de emoção diferente, assimilando a possibilidade futura de paz, o marquês interrogou, compungido:

— *Imaginemos que eu possa tentar recomeçar, deixar de lado a falsa posição de dono de alguns destinos humanos; como volverei? Em que forma me apresentarei, vestido de carne?*

Sem ocultar a verdade, que se fazia indeclinável, a Entidade nobre elucidou:

— *Não ignoramos, nós ambos, que os choques de retorno dos atos constitui fenômeno natural nos planos da Vida. É inevitável a colheita que vem da sementeira conforme foi realizada. Na marcha do processo de equilíbrio, torna-se necessário reconstruir tudo quanto a insânia demoliu, e isso será feito com os instrumentos utilizados no labor infeliz. Assim, receberás a graça da idiotia, ocultando o raciocínio em um cérebro incapaz de reproduzir-te o pensamento corretamente. Em decorrência dos abusos excruciantes que tens vivido na cidade perversa, sofrerás rudes limitações na organização genésica, transitando no mundo como um sonâmbulo, que o meu amor e a caridade de Deus converterão em um ressuscitado ditoso.*

Mediante oportuno silêncio, que lhe permitia reflexionar em torno do que o aguardava em relação ao futuro, concluiu, afetuosamente:

— *Postergar a hora da verdade é torná-la mais severa, que será enfrentada pela ânsia de ser feliz ou mediante o impositivo da evolução, que a todos alcança com ou sem a sua anuência. Ninguém foge do seu deus interno que, embora adormecido por longo período, desperta e conclama pela necessidade de vir a flux, de exteriorizar-se. Assim, convém-nos antecipar a hora, a fim de avançarmos pelas trilhas do porvir.*

— E os meus inimigos, aqueles que sempre me perseguiram — indagou, temeroso —, terão oportunidade de alcançar-me?

— *É inevitável, filho da alma, porque onde se encontra o devedor, aí estará com ele o cobrador ignorante e mesquinho, enfermo e cruel. Mas o amor, que cobre a multidão de pecados, se encarregará de os transformar em amigos, conquistando-os para sempre. Lembra-te, no entanto, que sempre fulgirá a luz da verdade nos refolhos do ser, impressa pelo desejo veemente de corrigir os erros e de crescer na direção de Deus. Força alguma poderá apagar essa claridade interna que te constituirá um roteiro sempre seguro, mesmo quando a morte me trouxer de retorno, deixando-te ainda em peregrinação pelo mundo...*

Não podes, neste momento, imaginar sequer os esforços que vimos empenhando, nós e o abade Amblet, para que se reorganizem as possibilidades para o teu retorno e a tua vitória. Como podes constatar, a marcha do Bem aguarda somente o primeiro passo, e essa decisão é tua. Agora ouve o restante da planificação, desde que nos largos cometimentos da vida não existe entre nós o improviso.

Acercando-se do espectro Rosa Keller, desfigurada e semienlouquecida, o Espírito Marie-Eléonore, envolveu-a em carícia afetuosa, explicando-lhe:

— *Não ignoramos, minha filha, todo o calvário que tens padecido desde aquele já longínquo dia... Não desconhecemos, também, os abismos aos quais foste atirada pela leviandade dos nossos coevos e as circunstâncias infelizes que assinalaram a tua dolorosa existência, que terminaram por conduzir-te após a morte do corpo à* cidade perversa. *Por isso mesmo, não nos atrevemos pedir-te que o perdoes, porque o fel absorvido por muitos anos transformou-se em ácido a queimar-te e requeimar-te a alma. Não obstante, suplicamos-te que o desculpes, compreendendo que somente um enfermo mental, profundamente afetado, sem sensibilidade para o amor nem para a fraternidade, poderia permitir-se o que Donatien te fez e a diversas outras pessoas proporcionou. A sua estada no manicômio, transitando entre os atacados pelos delírios e alucinações que os vitimavam nos transtornos horrendos em que se aturdiam e sob obsessões cruéis que os vergastavam, contribuíram para piorar-lhe a criminalidade. A imaginação enferma, atingindo o clímax da aberração, elaborou, então, nas jaulas do hospital, algumas das obras infelizes de literatura doentia que outros do mesmo nível de perturbação mental imprimiram e têm sido celebrizadas no teatro e noutros veículos da moderna informação. Se o desculpares, dando-lhe ensejo de recuperar-se, também tu serás beneficiada, iniciando o teu recomeço em clima diferente deste que vens vivendo há mais de dois séculos de sofrimentos que parecem nunca terminar.*

A veneranda Entidade fez uma pausa, ensejando à enferma espiritual absorver a lição, após o que, prosseguiu:

– *Também tu voltarás ao corpo carnal, a fim de recomeçares o exercício do equilíbrio e a reconquista da saúde espiritual. Fustigada pelas reminiscências do largo trânsito pelos sítios de sombra e de dor, ressurgirás escondida em uma forma degenerada, com a mente lúcida, mas sem os equipamentos que a possam traduzir. Será um curto período de expiação, que te proporcionará futuras experiências em outro clima de realização, em outras circunstâncias mais favoráveis. No momento, em face das dolorosas conjunturas em que vos encontrais, meu filho e tu, não será possível outro recurso senão este de significado expiatório e libertador. Pensa em termos de amanhã, deixando para trás sombras e ressentimentos, ódios e vinganças, porque o pântano em putrefação vive morto, aniquilando tudo que se lhe acerque com os seus vapores morbosos.*

– E quem receberá nos braços a desditada Rosa Keller? Quem se compadecerá do meu destino?

A voz fazia-se assinalar por profunda amargura e angústia, resultado dos pesados sofrimentos que havia experimentado até então.

Sem titubear, a senhora elucidou:

– *Aquele Pai Generoso que a todos nos criou não tem preferência por um em detrimento de outro, amando-nos de igual maneira e ajudando-nos da melhor forma possível. Ele, que te libertou do cativeiro onde estiveste até há pouco, já providenciou o Espírito que te receberá nos braços, envolvendo-te em carícias e molhando de lágrimas de ternura teu corpo deformado. Eu ofereci-me ao Senhor da Vida para ser utilizada como tua mãe, auxiliando-te ao lado do meu filho, na escalada da iluminação.*

A informação produziu um impacto em quase todos que acompanhávamos o diálogo libertador.

Rosa Keller, após recuperar-se da surpresa, inquiriu, assustada:

— Eu voltarei ao corpo na condição de irmã do monstro que me despedaçou a alma? Por intermédio de qual sortilégio isso acontecerá?

— *Todos somos irmãos uns dos outros* — redarguiu o iluminado Espírito —, *queiramos ou não, em razão da Paternidade Divina. O importante não é o seres irmã biológica daquele que te seviciou, mas estares ao seu lado, a fim de que ambos encontreis a paz e o perdão recíproco na situação dolorosa em que ascendereis do abismo no rumo da Estrela Polar, que é o Mestre Jesus. Ele abençoou os seus algozes e desceu às regiões de desespero antes de ascender ao Pai, a fim de arrancar Judas das mãos perversas daqueles Espíritos que o induziram por inspiração ao crime hediondo. E o fez em silêncio absoluto, resgatando-o de imediato, a fim de que pudesse avançar através dos tempos e volver, feliz, à convivência com os amigos que abandonara... Assim funcionam as Leis do Amor e ninguém poderá fugir da sua injunção inapelável.*

Após uma rápida pausa, concluiu:

— *Aqui estamos diversos Espíritos que falimos juntos, experimentando a Misericórdia de Deus para o recomeço. O fracasso nos volta a reunir em nome das vitórias do futuro, não nos cabendo apresentar exigências, pois que carecemos de valores para propô-las. Em nossa condição de indigentes, toda moeda de luz é fortuna que nos cumpre aproveitar com sabedoria, numa decisão irrevogável. Desse modo, resta-nos somente aceitar o divino convite ou recusá-lo e mergulhar novamente no abismo, sem outra alternativa para o momento.*

De imediato aproximou-se de Madame X, que se apresentava visivelmente transformada para melhor, sendo, dos três, quem assimilava as instruções com maior lucidez, e tocando-a com inefável bondade, disse-lhe:

– *Todos estes planos encontram-se dependendo de tua decisão libertadora. Sendo o único reencarnado, fruindo de excelentes possibilidades no corpo físico, teus braços jovens e fortes deverão erguer um lar para crianças infelizes, Espíritos profundamente endividados em recomeços difíceis, para que te reabilites em relação àqueles a quem feriste, e em cuja convivência adquirirás resistência para venceres as doentias tendências que te assinalam a atual existência de extravagâncias, que a fé religiosa irá corrigir. Dispões da lucidez necessária para entender que os compromissos negativos que te assinalam a jornada exigem reparação mediante quaisquer sacrifícios, que te constituirão mirífica luz no processo renovador. Certamente, não serão fáceis as horas porvindouras, porque largo tem sido o teu caminho de perversões e iniquidades. O organismo, que vem absorvendo energias deletérias desde há muito, encharcado e dependente, sofrerá compreensível abalo na sua estrutura, que exigirá refazimento através do leito de reflexões. Não te faltarão, porém, os recursos indispensáveis ao êxito do cometimento. Tua mãezinha será a canalizadora da ajuda superior, intercedendo sempre por ti e transmitindo-te as forças indispensáveis para a grande travessia pelo vale de amargura. Confia em Jesus e nunca desanimes. Toda via de redenção exige sacrifício e abnegação. É imperioso refazer o campo destruído e plantar novas sementeiras de esperança e de paz.*

Aquietando-se em reflexão profunda, a emissária do Mundo maior concluiu, imprimindo enérgico tom à voz:

— *Aqueles com quem te acumpliciaste ou que foram vítimas da tua e da intemperança do marquês, renascerão nos braços do sofrimento, da miséria socioeconômica, experimentando desde cedo carência e infortúnio, que lhes constituirão a futura palma da vitória. Tendo-os próximos de ti, experimentarás sentimentos controvertidos, que deverás transformar em compaixão e misericórdia, as mesmas de que tens necessidade no trânsito do processo de autorrecuperação. Contempla-os, pois, agora, e entrega-te a Deus, tu que Lhe suplicaste o auxílio e a complacência.*

Quando silenciou, aqueles que haviam ouvido as recomendações especiais e que foram convocados ao recomeço apresentavam diferentes emoções, que se lhes estampavam nos rostos emocionados.

Relutante e enfraquecido, o antigo marquês transformara-se, tornando-se, repentinamente, fragilizado e temeroso. Todos os conflitos que lhe dormiam no íntimo espocaram na face e apresentavam-se em forma de pavor e angústia, evocando, sem dúvida, as atrocidades cometidas em ambas as esferas da Vida, e que deveria agora começar a enfrentar sem disfarces nem cinismo. Sucede que a verdade sempre surpreende aquele que a escamoteia, e apresenta-se na nudez que lhe é peculiar, exigindo a consideração devida e a atenção antes negligenciada.

Nesse momento, o irmão Anacleto, responsável pela atividade, agradeceu ao venerando Espírito Marie-Eléonore e aos seus assessores, que se mantiveram em atitude de elevado respeito durante as providências estabelecidas pela visitante iluminada.

Antes de retirar-se, o elevado Espírito acercou-se novamente do filho e o envolveu em cariciosas vibrações de paz, reafirmando os propósitos de indestrutível união e apelando para que fosse dócil às vozes conselheirescas dos amigos devotados. Prometeu fazer-se presente sempre que fosse necessário, e após agradecer aos abnegados trabalhadores do cometimento, despediu-se, retirando-se com os seus dois assessores.

Respirava-se um clima psíquico saturado de blandiciosas vibrações, que nos penetravam, falando-nos, sem palavras, sobre a misericórdia do amor e a gravidade dos compromissos morais perante a Vida.

18
Os labores prosseguem

Encontrava-me profundamente sensibilizado ante a sabedoria da Espiritualidade, graças às providências tomadas para a solução de um problema tão grave.

Daquela vez, o encontro com a Verdade dera-se de maneira totalmente imprevisível, sem discussões violentas nem processos vigorosos de debates, ou sequer se utilizando de recursos mediúnicos pelo transe, no qual servidores reencarnados ofereciam a instrumentalidade orgânica, a fim de diminuírem o impacto das construções psíquicas deletérias, que necessitam sempre de ser atenuadas.

A presença da veneranda Entidade, que trouxe a programação futura já elaborada, bastou para modificar a situação dominante. Os seus argumentos, vazados nas expressões do amor, que alcançava dimensão grandiosa, graças ao seu renascimento carnal para atender o filho extraviado e uma das suas vítimas mais infelizes, produziu um efeito surpreendente no alucinado enfermo espiritual.

Madame X, que se renovava em razão do despertamento para uma nova realidade, seria a responsável pelo reduto de misericórdia onde seriam recolhidas as vítimas das tempestades morais que se deixaram arrastar pelos ventos da loucura, às quais não se permitiu resistir.

O incoercível poder do amor desmantelava o castelo de perdição erguido há mais de duzentos anos pelo transbordar das paixões primitivas que retinham o antigo marquês e algumas da suas vítimas.

Percebendo-me as reflexões e conhecendo o meu interesse no destrinçar dos mecanismos obsessivos e auto-obsessivos, o irmão Anacleto acercou-se-me e elucidou-me com critério e prudência:

— *Miranda* — referiu-se em tom fraternal, não obstante a sua ascendência espiritual —, *estamos sempre diante da própria consciência, que registra todos os pensamentos e ações de que somos objeto, responsável pelas nossas construções morais e espirituais. Durante muito tempo pode permanecer adormecida e os seus conteúdos parecem bloqueados pela conduta extravagante ou pela inspiração perturbadora que desvia os indivíduos da trajetória que devem seguir. No entanto, basta um toque de amor, e todo um mecanismo semelhante às sinapses neuroniais desencadeia sucessivas reações que trazem à tona tudo quanto se encontra aparentemente morto ou desconhecido. Esses impulsos liberam fixações e atitudes transatas, que ora volvem a exigir conduta reparadora, quando são negativos, ou estímulos novos para a ampliação do quadro de valores, quando positivos. Por essa razão, ninguém foge de si mesmo. Deus habita a consciência do ser humano e Suas Leis aí estão exaradas com todas as exigências de que se fazem portadoras.*

Detendo-se em reflexão, prosseguiu:

— *O drama do Marquês de Sade é o mesmo da maioria das criaturas, que se distraem no mundo e preferem as experiências embriagadoras à responsabilidade na vivência do culto dos deveres e realizações morais. A viagem carnal longe está de ser um mergulho sem sentido na ilusão da matéria. Tem finalidades definidas, tais como a necessidade de evolução, de desenvolvimento dos valores internos que dormem no imo de cada criatura,* manifestação *de Deus que é, movimentando-se em área correspondente ao estágio de evolução no qual se encontra. Mantendo contato com o mundo de onde procede, através das mil formas de comunicações espirituais e de todo um arquipélago de fatos que despertam para reflexões e compromissos dignificadores, guarda as heranças que lhe são peculiares. Ninguém, portanto, que se possa justificar ignorância em relação aos deveres de evolução porque não esteja informado da realidade espiritual. A opção de tornar a vida melhor ou mais agradável depende de cada qual e daquilo que considera mais favorável ao seu elenco de prazeres, assim como em relação aos compromissos a que se junge desde antes...*

Na relatividade de todas as coisas, somente o Bem é eterno, porque procede de Deus, sendo todas as outras propostas terrenas transitórias e sujeitas aos Soberanos Códigos, que estabelecem o seu período de vigência, de durabilidade. Desse modo, todos avançamos para a Grande Luz, demo-nos ou não conta da ocorrência. E quando a teimosia humana atinge níveis absurdos, a Divindade interfere para a felicidade do próprio Espírito, em razão de haver perdido o contato com a sua realidade interior.

Estamos, pois, diante de Leis inalteráveis, que funcionam com absoluta precisão e não podem ser derrogadas. Desconsideradas, permanecem nos seus mecanismos automáticos até alcançarem aqueles que as rejeitaram e são atraídos à retificação. Tudo é perfeito na Divina Criação.

Não pairava qualquer dúvida quanto à legitimidade das informações que o benfeitor me transmitia.

Observando a maneira como o Marquês de Sade havia chegado, sua soberba e aparente poder, e vendo-o, agora, quase vencido, constatava que a lição de amor e humildade da genitora atingira-o de cheio, despertando-o para a renovação que se fazia tardar.

Percebendo-me a silenciosa reflexão, o mentor gentil aduziu:

— *Sabíamos da excelência dos valores da genitora do marquês e, consultando-a, antes de quaisquer providências que o envolvessem, fomos informados de que também ela programava a liberação do estúrdio, planejando-lhe a futura reencarnação, quando o teria nos braços, iniciando nova etapa do processo iluminativo. Em razão dos fatores do desequilíbrio que o infelicitava, tomara providências para que o palco da reencarnação fosse em área de grandes sofrimentos distante dos centros citadinos, onde se reunissem Espíritos expurgando gravames do passado. A sua seria uma existência breve, de forma que a orfandade e as asperezas do caminho constituíssem-lhe o processo de libertação, considerando-se os limites orgânicos e as deficiências mentais que o aprisionariam no vaso carnal.*

Não poderia haver providência mais sensata e oportuna, que correspondia perfeitamente aos nossos anseios, tendo em vista a necessidade da renovação espiritual do padre Mauro, envolvido também com a sórdida conduta do seu modelo infeliz. Assim, concertamos a atividade desta noite, reunindo os mais envolvidos na trama dos destinos, ao mesmo tempo desenhando programas de benefícios inadiáveis para outros que tombaram na urdidura do mal e permanecem nas regiões som-

brias e tormentosas da cidade perversa. *Tudo acontece sempre para melhor atender aos desígnios superiores.*

Enquanto o benfeitor Dr. Bezerra de Menezes esclarecia o marquês, madre Clara de Jesus confortava Rosa Keller, que parecia estupefacta ante o desenrolar das ocorrências para as quais não se houvera preparado. Exultava ante a possibilidade de ser feliz e temia a convivência com o adversário da sua paz.

A mentora esclarecia-a que a reencarnação é bênção de Deus, que amortece as lembranças do passado e abre espaço para novos relacionamentos e para a verdadeira fraternidade, por contribuir com recursos valiosos para o entendimento, a interdependência entre os indivíduos, assinalando-os com a necessidade do auxílio recíproco, no qual surgem novas afinidades e desenvolvem-se sentimentos de amizade e de compaixão.

– E porque – aduziu a mentora – *o processo apenas começa, haverá muito tempo para adaptar a mente e modificar conceitos em torno dos relacionamentos que Deus concederá em relação ao futuro.*

Quando o perdão é muito difícil de ser concedido, a compaixão desempenha papel de importância, porque todos necessitamos desse sentimento, já que, defraudando as Leis de Deus, todos tombamos nos mesmos deslizes e somos credores dessa misericórdia, que é o primeiro passo para que se manifestem as bênçãos do amor. O ódio, que nasce do ressentimento e da necessidade de vingança, herança vigorosa do barbarismo que ainda predomina em a natureza humana, nutre-se dos seus próprios fluidos e termina por consumir aquele que o vitaliza. Quando recebe os impulsos da compaixão, diluem-se as teceduras de que se constitui, alterando a vibração morbígena e, por fim, cedendo espaço à comiseração, à ternura, à fraternidade. Tudo porém deve começar do ponto inicial, que é o desejo de mudança, a necessidade de renovação.

Desse modo, filha, compadece-te de ti mesma e tenta compreender a enfermidade ultriz que assinalou toda a existência desditosa do teu algoz, concedendo-lhe a oportunidade de alcançar a saúde, tanto quanto a necessitas tu mesma.

As palavras, ungidas de bondade, encontraram ressonância no imo do Espírito revoltado, que se foi acalmando lentamente, à medida que recebia o influxo de energias restauradoras do equilíbrio a que não estava acostumado.

Logo depois, ainda embalada pela voz da mensageira do Amor, demonstrou imenso cansaço, alterando o ritmo respiratório. Nesse comenos, madre Clara de Jesus induziu-a ao repouso, informando-a:

— Dorme, filha, saindo lentamente das sombras densas do passado, ante o amanhecer de um novo e luminoso dia que te espera. Esquece toda dor e toda treva que representam o teu ontem, para pensares somente no teu amanhã radioso, que logo mais alcançarás. Despertarás em outra casa de reeducação, onde te prepararás, a pouco e pouco, para a dadivosa oportunidade do renascimento carnal. Agora, entrega-te a Jesus e deixa-te por Ele conduzir docilmente como criança confiante que O aguarda, feliz.

A enferma espiritual entrou em sono tranquilo, sendo removida do recinto, ante o olhar esgazeado e surpreso do Marquês de Sade.

Compreendendo os conflitos que o assaltavam, o bondoso Dr. Bezerra de Menezes explicou-lhe:

— Como você não ignora, toda treva densa é apenas resultado da luz ausente que, em chegando, altera por completo a paisagem de horror concedendo-lhe beleza e claridade. O

Sexo e obsessão

ontem são as sombras pesadas da embriaguez dos sentidos e da loucura que trazias desde priscas eras, que estouraram em violência vulcânica naqueles dias, gerando maior soma de sofrimentos para o futuro. Em decorrência dos vícios e das fixações tóxicas, a morte não libera aqueles que se devotam às baixas vibrações, antes os encaminha para regiões equivalentes onde dão curso aos seus apetites insaciáveis e mórbidos. No entanto, o banquete da ilusão, qual aconteceu a Baltasar, o rei da Babilônia, tem os seus dias contados e logo se consome em labaredas de aflição e de desgraça que, por outro lado, são o começo de novas experiências para a felicidade. Não foi por outra razão que o apóstolo Paulo referiu-se que o aguilhão da morte é o pecado, isto é, ninguém foge desse pontiagudo instrumento que fere a alma e leva ao olvido, ao sono demorado pela morte... Vige, porém, em toda parte, a sabedoria do Amor, que sempre alcança os Espíritos, mesmo aqueles que se comprazem no desrespeito total à Vida, que desejam consumir. Iludidos e anestesiados pela própria prosápia, tombam, por fim, nas armadilhas que deixam pelo caminho, sendo conduzidos para a porta estreita do sofrimento, despertando no corpo imobilizado no qual, por muitos anos, experimentam silenciosas aflições e meditam longamente sobre o próprio destino e a realidade que se evitaram.

— *Como então renascerei?* — interrogou, aflito, o enfermo espiritual.

— *Com as vestes carnais assinaladas pelos distúrbios longamente vivenciados. A idiotia, a paralisia, a deformidade da face serão os recursos prodigalizados pela Misericórdia Divina para o ocultarem dos inimigos que o não deixariam viver no corpo. Disfarçado, será mais fácil para o êxito do grave empreendimento, dificultando que os cobradores alcancem-no com as suas tenazes de vingança. Isso, porém, não impedirá que tormentos obsessivos naturais, produzidos por algumas das suas atuais vítimas, alcancem-no mediante processo automático de sintonia vibratória.*

Outrossim, algumas lembranças dos longos anos na cidade perversa, *na área sob sua governança, ressumarão do inconsciente profundo gerando aflições de alta gravidade, que serão atenuadas, porém, pela presença da mãe abnegada, que estará velando por você e amparando-o em todo o transe. Simultaneamente, vinculada pelo ódio, que se converterá em amor, Rosa Keller renascerá sua gêmea, a fim de apresentar características genéticas equivalentes, assim recompondo-se e iniciando nova etapa em luz para a própria felicidade.*

— *E os companheiros que se encontram sob minha sujeição e vieram comigo a este encontro, que lhes sucederá?*

— *Um expressivo número deles* – esclareceu o benfeitor –, *tocado pelo momento feliz, optará pela liberdade que anela e não tem podido fruí-la por motivos óbvios. Assim, não se preocupe com os irmãos de agonia, que se lhe submetiam ou que o acompanhavam igualmente anestesiados pela morbidez. Ninguém se encontra esquecido nos Soberanos Códigos, nos quais estão inscritas todas as vidas.*

Neste momento, volva à infância, recorde-se da figura de Jesus, que você execrou nos seus espetáculos de hediondez sexual, nas práticas obscenas que se permitiu e que dramatizou para outros desestruturados mentais e espirituais. Considere com serenidade a grandeza desse Homem que se deu em favor de todas as vidas, mesmo as daqueles que O escarneceram e estigmatizaram com o seu ódio injustificável, por não poderem compreendê-lO e menos amá-lO. Entre os distúrbios de comportamento, é conhecido o fenômeno de transferência de conflitos de uma para outra pessoa. Quando não se pode alcançar outrem, ser-lhe equivalente, o inconsciente transforma a aspiração não conseguida em violenta ira que é descarregada naquele que se encontra em posição superior, inatingível no momento pelo seu invejoso admirador... Assim, na sua alucinação e perversidade, o caro amigo desdenhava do Homem de Nazaré pela Sua superioridade moral e pelo estágio que alcançou, provocando-lhe rude e violenta inveja, acompanhada de desdém e desprezo. Pense n'Ele agora de outra maneira. Altere o direcionamento mental e considere-O no Seu verdadeiro significado, na grandeza que O caracteriza.

O marquês apresentava-se aturdido e expressava na face ainda deformada a diversidade de sentimentos que o afligiam, sem definição emocional que o ajudasse a assumir uma atitude de equilíbrio. Os longos anos de perversa distância dos valores éticos, da dignidade humana, do respeito pela vida e por todos os seus elementos constitutivos, dele fizeram um odiento e singular espécime, que somente vivia em função das baixas sensações a que se entregara desde há muito. Não era, portanto, fácil a mudança de conduta mental e de aceitação emocional. Esse Jesus, que lhe era apresentado, diferente do anterior, que detestara e de Quem zombara, em razão dos absurdos religiosos que vigiam no seu tempo, chamava-lhe a atenção de maneira diferente que, no entanto, não saberia como definir. Seria necessário muito tempo para que a conjuntura mental se alterasse e uma visão nova do Excelente Filho de Deus se lhe assenhoreasse da mente e da emoção.

Nesse báratro de conflitos e de incertezas, sentindo-se exaurido, talvez pela primeira vez, o marquês explicitou:

— *Gostaria de dormir, de repousar um pouco, de sair deste pandemônio de conflitos e de desordens mentais que me consomem sem me destruir.*

Dr. Bezerra de Menezes, tomado de grande compaixão, respondeu-lhe com suavidade:

– *Dormirá, sim, porque o Pai ama todos os Seus filhos, não desamparando a nenhum, especialmente quando* estava perdido e agora retorna a casa. *Silencie a mente e evite pensar em qualquer coisa. Durma e esqueça tudo, por momentos, a fim de despertar em outra situação e circunstância, para enfrentar a madrugada de luz que o cegará por pouco, de forma a poder contemplar o sol da Nova Era do futuro, que se desenha desde agora.*

Distendendo as mãos abençoadas pelo trabalho intérmino de amor, aplicou vigorosas energias nos *chakras coronário* e *cerebral*, proporcionando ao paciente infeliz o sono restaurador. Alguns segundos transcorridos, e ele dormia com alguma alteração, agitando-se de quando em quando, em razão das imagens mentais arquivadas, ora sob psicoterapia refazente.

Madame X, que acompanhava as diversas fases da incomum experiência espiritual, chorava discretamente, quando o irmão Anacleto e dona Martina se lhe acercaram, cabendo ao mentor esclarecê-la:

– *A partir deste momento, os vestígios vigorosos da conduta perniciosa de Madame X apagar-se-ão na memória, a fim de que as experiências iluminativas do futuro possam conduzi--la com segurança para o objetivo libertador. Por consequência, serão tomadas providências para acalmar a sua mente, diminuindo a intensidade do vício longamente cultivado, de forma que nos cometimentos do futuro, a piedade e a ternura, a misericórdia ante os sofrimentos infantis, ajudem-no na depuração moral a que se deverá entregar, superando o homem* velho *e dando vigor ao homem novo, que agora nasce sob a inspiração de Jesus.*

Compreensivelmente, após todos os choques morais vivenciados durante esta semana, o seu organismo se ressentirá e um abatimento profundo, assinalado por vários distúrbios psicológicos, tomará conta das suas energias, ameaçando-lhe seriamente a saúde. Nada obstante, estamos tomando providências, a fim de que possa superar o desgaste e os transtornos psicológicos que advirão, em clínica especializada, que o senhor bispo está providenciando, após o que, transferido de cidade para uma região carente e menos populosa, você recomece a existência e se transforme em benfeitor da comunidade. Os seus exemplos constituirão uma bênção para os pobres e desafortunados, que verão, no seu testemunho de jovem voltado para o bem, uma emulação para a vivência da caridade e do amor, seguindo Jesus na Sua condição de Modelo e Guia da Humanidade.

Dona Martina abraçou o filho querido, que lentamente retomou a forma perispiritual de Mauro, sem poder dominar as lágrimas, e ele pôs-se a justificar:

— *Não agia mal por livre opção, porém dominado por força quase demoníaca, que me induzia às práticas infelizes que me atormentavam mais do que me facultavam prazer. Sempre retornava da vivência da aberração amargurado e arrependido, vencido nas minhas forças, como se exaurido por algo que me absorvia todas as energias. Como será agora a minha conduta? Terei forças para prosseguir? E esse* demônio, *que me suga e devora, voltará a vencer-me?*

A gentil senhora desencarnada, sem ocultar a alegria ante a renovação do filho, abraçou-o ternamente, como o fez durante a sua infância e esclareceu-o serena:

– Não temas, filho do coração! O Amor de Nosso Pai convida-nos agora a novas providências, a experiências libertadoras. O passado é bênção que nos impulsiona para o futuro, desde que saibamos aproveitar as suas lições e interpretar o aprendizado que dele fruímos, estabelecendo metas que nos cumpre alcançar. O Pai Diligente traçou roteiros para nós, meu filho, que, seguidos, ensejar-nos-ão a plenitude. Quando recuperado, iremos buscar teu pai, que levaremos para o lar que erguerás em favor das criancinhas esquecidas do mundo e lembradas por Deus, a fim de que também ele seja beneficiado. Nesse programa de redenção, receberás também Jean-Michel, a quem deves altas somas de amor e de compreensão, incapaz, neste momento, de entender o labor em curso. Como somos viajantes do tempo, o que se encontra estabelecido irá sucedendo sem pressa nem tumulto, e cada qual que se encontra incurso no processo irá chegando até que os delineamentos de hoje se tornem realidade futura. No mais, entrega-te a Jesus, n'Ele confia e espera, sofrendo com paciência e renovando-te sem cessar. Jamais nos separaremos durante este cometimento de libertação de todos nós, os comprometidos com a Vida. Agora, filho, dorme e sonha com o dia radioso que logo mais amanhecerá. A vitória pertence a todo aquele que porfia e não para para coletar glórias enquanto não termina a luta. Ergue-te, portanto, acima das vicissitudes, enfrenta os trâmites necessários ao reajuste e canta comigo a glória do Senhor que nos ama e labora conosco.

Quando a Entidade generosa terminou, tinha lágrimas que perolavam transparentes, descendo pelas faces. Nós outros, igualmente comovidos, acompanhávamos a cena de amor maternal embevecidos e sensibilizados. Duas mães e diversos destinos ali estiveram presentes, construindo o futuro dos filhos tresloucados e arrependidos, que anelavam por nova oportunidade de crescimento na direção de Deus e da Vida.

Pude então refletir que, enquanto houver mães no mundo, o Amor de Nosso Pai estará refletido nos seus atos de extrema abnegação e renúncia.

Víramos uma delas renunciar ao esplendor de Regiões felizes para descer ao vale de amargura, a fim de oferecer braços protetores ao filho revel, sem pensar na própria felicidade, de que já desfruta. Enquanto a outra assumia o compromisso de permanecer no vale sombrio ao lado do filho dependente, renunciando ao monte de sublimação.

Para elas, a felicidade era a liberação dos seus anjos crucificados na agonia proporcionada pela loucura da própria insensatez. Enquanto não os conduzisse à glória solar, não se permitiriam a ascensão plenificadora.

19
Liberdade e vida

À medida que os convidados foram conduzidos a regiões próprias em nossa Esfera de ação, e Mauro foi levado por dona Martina de retorno ao corpo, que se encontrava em repouso, o irmão Anacleto, Dr. Bezerra de Menezes, madre Clara de Jesus, nós outros, Dilermando e o médium Ricardo, dirigimo-nos ao amplo salão que albergava a comitiva do marquês. Embora se encontrassem em relativo silêncio, sentia-se a ansiedade que reinava no ambiente. Alguns expositores espirituais tentaram manter o clima psíquico apresentando dissertações do Evangelho, que não eram levadas na devida consideração, o que gerara certo mal-estar entre todos.

Alguns deles, com aparência bizarra, movimentavam-se inquietos, aguardando qualquer ocorrência, como se estivessem preparados para alguma reação, que pensavam seria necessária.

Do lado de fora, onde ficaram algumas centenas que não tiveram acesso à Instituição, em face do estado de zoantropia e de excentricidades vulgares em que se travestiram, a algazarra e o deboche se misturavam, enquanto canções de baixo conteúdo moral eram exaltadas entre gritos e blasfêmias.

A sala encontrava-se iluminada e, à sua volta, internamente, diversos Espíritos que mourejavam na Instituição encontravam-se a postos em atitude de bondade, mas também expressando energia e vigor, a fim de que nenhuma desordem assinalasse a atividade em andamento.

Na parte do fundo do salão havia um balcão que funcionava como mesa diretora, em torno da qual sentamo-nos e, ante a aquiescência de madre Clara de Jesus, o irmão Anacleto dirigiu-se à turbamulta, explicando que o Marquês de Sade encontrava-se impossibilitado de comparecer àquele ato, mas que tivessem um pouco de paciência, a fim de que fossem finalizadas as atividades espirituais em desenvolvimento.

A seguir, o médium Ricardo, visivelmente inspirado, assomou à tribuna, e com voz bem modulada começou a falar:

– *Irmãos do sofrimento!*

Que Jesus permaneça conosco neste e em todos os momentos das nossas vidas!

Falo-vos sob inspiração da Verdade, aqui representada pelos mensageiros do Mundo maior, embora ainda encarcerado no corpo físico, a fim de que possais aquilatar o valor desta oportunidade, no direcionamento adequado das vossas vidas em relação ao futuro.

Somos Espíritos eternos, que a morte não consome nem os disparates aniquilam. Iniciada a nossa jornada de evolução, não há mais como recuar ou parar indefinidamente no processo de libertação das paixões escravocratas e das sensações animalizantes a que nos aferramos.

Somos herdeiros da insânia que nos permitimos, mas também dos sacrifícios e esforços de iluminação que conseguimos.

Passo a passo seguimos o caminho do autoconhecimento, nem sempre como deveríamos, através de uma decisão irreversível. Muitas vezes, estacionamos nas províncias da loucura pelo prazer insaciável, quando nos cumpriria avançar no rumo das emoções sublimativas.

Ocorre que a predominância dos instintos primários em nós ainda é muito forte, e a eles nos submetemos sem forças para romper as amarras que nos retêm na retaguarda do caminho por onde deveremos avançar.

Não somos anjos ainda, tampouco demônios sem a presença do Amor de Deus.

Damos prosseguimento, no Além-túmulo, às experiências que elegemos durante o transcurso carnal. Cada qual desperta além da morte com a bagagem armazenada antes da desencarnação. Por isso mesmo, morrer ou desencarnar, é transferir-se de estágio vibratório, permanecendo nas paisagens infinitas da Vida.

Não é, pois, de estranhar, que tenhamos aspirações e fruamos de emoções bem diferentes, que são resultados das nossas seleções desde a experiência carnal, cujo ciclo, que se estende do berço ao túmulo, encerramos, de forma a nos permitirmos novo tentame, avançando sempre no rumo da Grande Libertação.

Até agora, ainda não vos destes conta exatamente da ocorrência da vossa imortalidade, dando curso às paixões a que vos ativestes antes, sem permitir-vos meditar em torno do futuro, do que vos aguarda e da necessidade de alterar o comportamento, que não mais pode continuar conforme vem sucedendo.

Herdeiros de Deus, porque Seus filhos amados, trazemo--lO na intimidade dos sentimentos e na inteireza da consciência que, embora anestesiada no momento, apresenta os primeiros sinais de despertamento, gerando tédio e cansaço, mal-estar e saturação em todos os cometimentos a que vos aferrais. O gozo exorbitante, a loucura do sexo em total desalinho, o prosseguimento das aberrações e fanfarronices não mais atendem às exigências do ser profundo que sois, apresentando-se como uma sensação grosseira que resulta do encharcamento dos tecidos *sutis dos vossos perispíritos impregnados de fluidos tóxicos gerados pelas vossas mentes e predominantes na região em que estagiais.*

O médium silenciou por brevíssimos segundos, relanceando o olhar pelo salão repleto, a fim de medir a receptividade dos conceitos emitidos.

Um leve rumor agitou a massa, na qual alguns membros mais alucinados reagiam a meio tom de voz, enquanto outros, de olhar esgazeado e de aspecto dementado, despertavam lentamente, beneficiados pelas vibrações do ambiente e pela musicalidade da palavra esclarecedora.

Sem dar margem a prolongada pausa, que poderia quebrar o ritmo da proposta de libertação, prosseguiu:

— *Desfrutais, neste momento, de imerecida concessão divina, nesta Casa, que vos faculta reflexionar fora do ambiente asfixiante em que vos detendes, em torno da excelência da liberdade e da autossuperação, a fim de poderdes eleger nova conduta e segui-la com os olhos postos nos horizontes iluminados que vos aguardam.*

Chega de angústias afogadas no licor *de suor e sangue das vossas aflições.*

As saudades dos seres queridos, ora distantes, que vos dilaceram, falam-vos da possibilidade dos reencontros ditosos de que podereis fruir, assim desejeis alterar o comportamento e mudar de situação emocional.

Sois escravos, não de Espíritos perversos que vos exploram, mas das vossas próprias paixões, do primarismo que vos jugula às reminiscências do corpo físico, ora inexistente.

As sensações que experimentais e disputais sem cessar, não existem mais, nem podem repetir-se, sendo apenas impregnação conservada pelo corpo perispiritual, e que vossas mentes insistem em preservar.

O vosso líder, o Marquês de Sade, que vos trouxe a este recinto de felicidade, cansado dos excessos que se tem permitido, optou pela renovação e já não retornará convosco, com aqueles que desejarem volver aos sítios pestíferos de onde procedeis.

Ninguém poderá obrigar-vos ao retorno às cavernas de padecimento e de escravidão onde vivíeis. Aqui é a Casa de bênçãos, que se vos distendem acolhedoras e ricas de renovação. Podeis respirar novo clima, acalentar novas esperanças, anelar por paz e trabalhar pela conquista dos valores morais e espirituais que abandonastes, quando tomados pela insensatez e pelo desvario, ao vos entregardes à exorbitância do prazer.

Aqueles que se atribuíam comando sobre vós, e que aqui também se encontram, desfrutam do mesmo direito de escolha, que vos é concedido. E porque igualmente se apresentam saturados do despautério, certamente elegerão a paz ao conflito, a alegria à alucinação, o repouso à guerra contínua contra si mesmos, em que se demoram.

Ninguém consegue deter o amanhecer. Da mesma forma, ninguém possui poder para evitar o despertar da consciência e a autoconquista.

Estamos todos fadados à plenitude, que nos é oferecida pelo Genitor Divino, dependendo somente da escolha que cada qual faça em seu próprio favor.

Não vos será imposta qualquer decisão, porque, embora nem todos tenham capacidade de discernimento, e grande número se encontre sob doentia indução hipnótica, a minha voz penetra-vos e convoca-vos para novo comportamento.

Não temais decidir pela autolibertação, pela fraternidade, pelo amor, pela iluminação interior.

Quase todos nós perlustramos esses caminhos por onde vos movimentais no momento. Tivemos nosso período de treva e de ignorância, nossa fase de alucinação e primitivismo, havendo sido libertados pelo amor inefável de Jesus através dos Seus abnegados mensageiros, qual ocorre agora em relação a vós outros.

Analisai o que sentis neste momento e relacionai-o com o que vindes experimentando na cidade perversa, *onde habitais.*

Observai as emoções que vos tomam, os sentimentos que volvem a acionar a vossa capacidade de compreender e de discernir o certo do errado, o bom do mau, e logo vereis que estais em um santuário que se vos abre inteiramente, facultando-nos acolhimento e oportunidade de renovação.

Não tergiverseis, nem postergueis este momento.

O ponteiro do relógio sempre volve ao mesmo lugar, porém em outra dimensão de tempo, noutra circunstância, jamais nas mesmas. As águas do rio, que passam sob pontes, retornarão um dia em forma de chuva generosa, nunca mais, no entanto, em condições equivalentes.

Este é o vosso momento. Soa a vossa hora. Jesus vos chama.

Recordai-O, braços distendidos em direção à atormentada multidão, convocando-a: – "Vinde a mim, todos vós que estais cansados e aflitos, e eu vos consolarei. Tomai sobre vós o meu fardo, recebei o meu jugo e aprendei comigo, que sou manso e humilde de coração. Leve é o meu fardo, suave é o meu jugo. Vinde a mim"...

O Seu convite vem reboando através de dois mil anos, alcança a acústica de nossa alma e fica em silêncio, porque temos preferido ouvir a balbúrdia, atender aos apelos do vozerio tresvariado da inferioridade.

Com Jesus, altera-se a visão em torno da vida e do ser existencial.

Aceitá-lO, significa tomar a cruz do dever, que é o seu fardo leve; *entregar-se-Lhe em regime de totalidade e submeter-se-Lhe ao comando, representam estar sob o* Seu jugo suave *e transformar a vida, tornando-a doce, amena e nobre.*

Decidi, sem relutância. Ouvi a música das Esferas elevadas, que é bem diferente daquela a que vos acostumastes. Pensai em Deus, pelo menos por um pouco. Recordai dos vossos amores que ficaram na Terra ou vos precederam no rumo da Imortalidade. Este é o momento. Deixai-vos arrastar pelas vibrações de amor que vos passam a envolver.

Ficai em paz e elegei a luz ou a treva, a felicidade ou o prolongado cativeiro.

Jesus aguarda. Louvemo-lO e sigamo-lO!

Novamente silenciando, o orador, irradiando suave claridade que se lhe exteriorizava do Espírito, profundamente concentrado, deu margem a que se ouvisse uma melodia de incomparável beleza, que em maviosa voz, convidava-nos a todos, a seguir Jesus e libertar-nos das paixões selvagens.

Flocos luminosos muito delicados desciam de ignotas regiões e suave perfume invadiu o recinto, produzindo empatia desconhecida e emoção sublime em todos aqueles que ali nos encontrávamos.

A pouco e pouco, da emoção silenciosa surgiram o pranto e a exteriorização do imenso sofrimento em que estorcegavam aqueles irmãos, suplicando amparo e oportunidade de refazimento.

Entidades generosas, que aguardavam a ocorrência, acercaram-se daqueles que estavam a ponto de tombar na agitação e no desespero, acalmando-os, aplicando-lhes energias restauradoras e emulando-os à fé, à coragem.

Alguns, mais rebeldes, levantaram-se de inopino, e saíram atropeladamente, tentando produzir balbúrdia, no que foram impedidos discretamente pelos vigilantes e operosos trabalhadores da Instituição.

A música prosseguia, enquanto a Misericórdia de Deus atendia aqueles que se rendiam à luz, dulcificando-os e interrompendo o longo império de desespero a que se houveram entregado, despertando-os para novos cometimentos e experiências de recuperação do tempo gasto na flagelação e na desdita por livre opção.

Foi então que o caroável Dr. Bezerra de Menezes, erguendo-se, falou, tomado de grande compaixão pelos atormentados, que retornavam ao redil do Sublime Pastor:

— *Sede bem-vindos, irmãos queridos, à senda de renovação.*

O vosso cansaço será atenuado, a vossa sede de paz receberá a linfa do reconforto, a vossa fome de amor encontrará o pão da vida, que vos nutrirá para sempre.

Não aguardeis, porém, colheita de flores nos terrenos onde semeastes espinhos e urze pontiagudos; não creiais em recompensas à ociosidade, assim como ao vitupério, ao abuso das funções psíquicas, que se reconstruirão lentamente a vosso contributo pessoal. Não encontrareis escadaria de acesso rápido ao paraíso, nem catapulta de improviso para o Reino dos Céus.

O trabalho é guia de segurança e força de elevação para todos nós.

O labor iluminativo é obra de cada um, que o realizará a esforço e a sacrifício pessoal.

Toda ascensão exige denodo, e ninguém alcança o acume da montanha sem atravessar as baixadas de onde procede.

Iniciareis novas experiências de autoiluminação, percorrendo as mesmas estradas, porém com outras disposições interiores e a decisão de ser feliz.

Envolvidos pelas vibrações que procedem do Amor, inundai-vos de luz e embriagai-vos de novas alegrias.

Começa novo dia para quantos desejem a claridade do bem no coração e se resolvam pela purificação mediante o mergulho no corpo físico, sem as constrições das falsas necessidades a que vos acostumastes. A carne ser-vos-á refúgio ameno, escola de aprendizagem e reeducação, hospital de recuperação de forças, oficina de trabalho... Transitareis alguns, solitários e não amados; outros, sob injunções penosas que os atos arbitrários impuseram ao longo do tempo; outros mais experimentando desejos inconfessáveis que o organismo não poderá atender, mediante processo psicoterapêutico; por fim, a cada um será proposto um programa de recuperação conforme suas obras... Todos, porém, filhos do Amor, encontrareis oportunidade para o autocrescimento e a felicidade.

Que o Divino Mestre nos abençoe a todos, no esforço de elevação!

Quando silenciou, permaneciam as vibrações de paz e de alegria que saturavam o ambiente, enriquecido de suave luz procedente de Esfera mais-alta, ao mesmo tempo que diligentes servidores adrede convidados, puseram-se a atender aqueles que optaram pela renovação, conduzindo-os com ternura fraternal a diferentes setores da Instituição, de onde rumariam para os núcleos preparatórios de reencarnações purificadoras.

Não havia saído do quase êxtase, quando o médium Ricardo se me acercou, jubiloso, irradiante de felicidade, demonstrando a alegria pela realização do serviço recém--concluído.

Utilizei-me do ensejo, e indaguei, com certa curiosidade:

— *Houve alguma razão especial para que fosses o escolhido para as informações aos desencarnados, em vez das próprias Entidades espirituais?*

Demonstrando sua natural modéstia, Ricardo esclareceu:

— *Conforme pensam os benfeitores espirituais, o fato de encontrar-me reencarnado com relativa facilidade nos desdobramentos lúcidos durante o período do sono físico, faz que apresente algumas condições necessárias para levar a programação libertadora, como ocorreu aos irmãos enlouquecidos, permitindo que melhor assimilem a proposta, tendo em vista os implementos orgânicos de que me revisto, mediante os quais facilita-se-lhes a sintonia. A exteriorização do fluido animal, que decorre do estado de reencarnado, permite-nos maior identificação de sentimentos, em razão de eles ainda estarem sob fortes pressões dos liames materiais. Ademais, esse formoso labor, quando exitoso, qual acaba de acontecer, converte-se em bênção para mim mesmo, em face do ensejo de facultar-me prosseguir no trabalho mediúnico. Sem qualquer dúvida, embora me encontrasse lúcido durante a dissertação, as informações expostas foram-me transmitidas através de telementalização pelo nosso sábio mentor Dr. Bezerra de Menezes.*

Sintonizando o pensamento na faixa da caridade e entregando-me à sua inspiração, sinto-me induzido a falar e a agir conforme ele próprio o faria, em razão da facilidade de captação das ideias e dos sentimentos, nessa circunstância, porém, sem os impedimentos naturais da organização cerebral.

Neste abençoado universo de energias, que se exteriorizam em ondas, vibrações, ideias e pensamentos, estamos sempre em intercâmbio psíquico, conscientes ou não dessa realidade, constituindo-nos verdadeira felicidade o conhecimento que nos é oferecido pelo Espiritismo em torno das possibilidades inimagináveis de que desfruta a alma integrada na realidade cósmica.

– Esta é sua primeira experiência específica – voltei a inquirir *– ou se lhe apresenta habitual este formoso fenômeno?*

– No que diz respeito ao atendimento a desencarnados vítimas de obsessões do sexo – respondeu, gentilmente *–, foi a minha primeira intermediação. Entretanto, tenho participado com relativa frequência de incursões a regiões de amargura e de sofrimento, onde tenho funcionado como médium psicofônico, tanto dos mentores como dos mais aflitos, que não conseguem comunicar-se diretamente, tal o estado de intoxicação fluídica em que se encontram encharcados. Em face do aturdimento e da fixação nos despojos materiais, não se dão conta da realidade espiritual em que se encontram, tendo dificuldade para exteriorizar o pensamento somente através da ação mental. Assim, o perispírito do médium funciona para eles como decodificador das suas necessidades e manifestações internas.*

Como constatamos, para os médiuns que se devotam ao bem, sempre há labor a executar em ambos os planos da vida. Se considerarmos que a claridade da Doutrina Espírita chegou à Terra há pouco menos de um século e meio, não podemos negar que todo o labor de socorro desobsessivo aos transeuntes do corpo somático era feito no Mundo espiritual, quando os Construtores do progresso se utilizavam dos mé-

diuns encarnados e desencarnados para o mister de esclarecimento e de libertação das injunções penosas, lamentáveis.

Graças a essas ocorrências, não foram poucos os santos, os místicos, os profetas que assinalavam haver estado no Purgatório *e no* Inferno, *onde mantiveram contatos dolorosos com personagens que viveram na Terra, ou conheceram os lugares que os aguardavam* caso não se conduzissem com a correção que deles se esperava... *Eram reminiscências de suas visitas aos sítios de amargura e de recuperação em que se demoravam alguns desencarnados, ou atividades mediúnicas de socorro aos mesmos assim como aos reencarnados em rudes provações.*

Quantos denominados exorcismos, que se iniciavam com as célebres palavras sacramentais e gestos, alguns burlescos e circenses, tinham continuidade técnica fora da indumentária física, resultando positivos! Tratava-se de processos de doutrinação dos desencarnados perversos pelos benfeitores da Humanidade, conforme hoje se realizam nos núcleos cristãos restaurados. Dia virá, e já se aproxima, em que labores desse gênero se tornarão naturais e conscientes, facultando às criaturas humanas o saudável e contínuo intercâmbio com o Mundo espiritual sem as barreiras que a ignorância das Leis da Vida impõe.

Agradecendo-lhe, realmente sensibilizado pela sua contribuição, que me pareceu muito lógica, aguardarei a continuidade do ministério socorrista.

20
A RUIDOSA DEBANDADA

Enquanto diligentes cooperadores socorriam os Espíritos que anelavam pela própria renovação e os benfeitores tomavam outras providências, que não me permiti investigar, ouvimos, repentinamente, uma atroada, em gritaria infrene e ruidosa movimentação, enquanto clarins e fanfarras emitiam ruídos estranhos, produzindo verdadeiro pandemônio na parte externa da instituição.

Percebendo-me a surpresa, o irmão Anacleto aproximou-se, e, com a sua habitual gentileza, informou-me, tranquilo e feliz:

— *Trata-se do retorno daqueles que não tiveram ensejo de participar das nossas atividades, assim como daqueloutros que se recusaram à autolibertação.*

Desorientados, sem o comando a que se acostumaram, volvem, aturdidos uns e amedrontados outros, temendo-nos e acreditando que somos representantes da Divina Justiça e os ameaçamos com sortilégios e mágicas, para impedir-lhes o prosseguimento nos prazeres animalizantes a que se entregam.

De certo modo, têm razão. Embora não nos consideremos como embaixadores da Corte celeste, estamos a serviço do bem, utilizando-nos dos sublimes sortilégios do amor *para libertar aqueles que ainda se encontram escravizados às paixões dissolventes.*

Já havíamos previsto esse efeito, perfeitamente natural, em se considerando o estado de profunda ignorância e primitivismo no qual estacionam alguns dos nossos irmãos que, embora infelizes, ainda não se dão conta da própria realidade. Inspiram-nos, por isso mesmo, mais compaixão e solidariedade, aguardando o momento próprio, quando lhes luzirá a ocasião para o recomeço e a busca de Deus.

O generoso mentor calou-se por um pouco, como a coordenar ideias, e logo prosseguiu:

— A cidade perversa *é comandada por célebre imperador romano, que se entregou a excessos de toda natureza, enquanto deambulou pelo corpo. Renascendo em situações deploráveis, que lhe eram impostas pela necessidade da evolução, manteve-se acumpliciado com alguns algozes da Humanidade, ele próprio, um impenitente tirano, sempre insaciável de sangue, que se permitia toda sorte de hediondez, inclusive nos desvarios sexuais. Foi, nesse período, que a sociedade do Império declinou, em razão do abastardamento dos valores éticos, abrindo espaço para a decadência e a desagregação dos costumes. Através dos séculos ergueu com outros infelizes perturbadores da paz da sociedade os alicerces da infeliz cidade que ora governa, tornando-a núcleo de punição para aqueles que lhes caem na sedução ou de reduto de prolongadas bacanais, que a matéria não mais permite realizar-se. Condensando sempre o pensamento servil nas expressões da animalidade primitiva, conseguiu realizar um símile em deboche e ultraje do que vivenciara quando governava Roma. Dali têm partido em direção da Terra inúmeros verdugos da Humanidade, que se encarregaram de perverter os costumes e disseminar a licenciosidade, ora sob o disfarce da hipocrisia, noutras vezes em deboche público, de que se tornaram célebres muitas cortes e culturas através da História.* Antro de perdição, ali não luzem a liberdade nem a esperança, conforme a mitológica informação de Dante Alighieri, na entrada do seu inferno.

Não obstante, o Amor de Jesus em nome do Soberano Pai, periodicamente favorece os seus residentes com a oportunidade de libertação, qual ocorre neste momento que atravessamos.

Interrompendo, momentaneamente, os esclarecimentos, logo deu curso:

– Com a libertação do Marquês de Sade, começa uma fase nova para a cidade perversa, já que o seu governante irá tomar providências, que consideramos graves, especialmente contra aqueles que mourejam nas fileiras de O Consolador, que deverão experimentar o látego do desforço e da crueldade. Estamos em campo aberto de batalha, no qual a Treva se empenha por manter os seus domínios, ante a mirífica luz do amor que dilui toda sombra e abre espaço para o desenvolvimento dos seres humanos, por largo tempo retido na impulsividade e na ignorância. Não padecem quaisquer dúvidas que a vitória do bem é inapelável, cabendo-nos a todos a desincumbência dos compromissos abraçados, com o pensamento vinculado ao Pai, que não cessa de ajudar-nos.

Desse modo, firmados nos objetivos elevados que nos unem, avancemos confiantes, trabalhando sem cessar e amando sempre, porque o Reino de Deus está dentro de nós, aguardando poder exteriorizar-se em favor de todos os seres.

Quando se calou, eu podia perceber mais uma vez a grandeza do nobre Espírito, que se encontrava à frente de uma tarefa incomum, aureolado pela consciência do dever nobre e reto, construindo, sem qualquer alarde, o porvir ditoso para as demais criaturas.

Com ordem o salão foi sendo esvaziado, e as Entidades encaminhadas aos vários setores de socorro da Instituição espírita, enquanto os mentores ministravam as orientações finais.

Logo após, o apóstolo Dr. Bezerra de Menezes despediu-se, havendo-se desincumbido da atividade que lhe competia, e ficando aqueles que fazíamos parte do socorro a Mauro, agora acompanhados por madre Clara de Jesus, diretora do núcleo socorrista que nos hospedava.

A alva abria o seu suave manto de cor e de luz, arrancando da noite aqueles que se encontravam acobertados pelo seu véu de sombras.

Enquanto o irmão Anacleto prosseguia dando curso aos seus labores, Dilermando e nós buscamos o necessário repouso, a fim de encetarmos futuros compromissos na esteira da aprendizagem infinita.

Transcorreram poucas horas, quando fomos despertados para ruidosa e intempestiva manifestação espiritual que se situava nas imediações da Casa Espírita.

Dirigimo-nos à entrada, e fomos colhidos pela estranha presença de alguns milhares de Entidades grosseiras, mascaradas umas, outras apresentando aspectos ferozes, evocando as hostes bárbaras que no passado invadiram a Europa, usando exóticos animais e preparadas para aguerrido combate que, certamente, não teria curso por motivos óbvios.

Apresentando toda a miséria espiritual do primarismo em que chafurdavam, aqueles Espíritos eram comandados por alguns conhecidos conquistadores do pretérito, que se mantinham nas mesmas condições de atraso e de inferioridade característicos dos seus dias transatos. Era como se o tempo não houvesse transcorrido, mantendo-os na mesma época e nas mesmas circunstâncias da sua infeliz celebridade.

Belicosos e atrevidos, cercaram as dependências externas da Casa cristã, como se pudessem impedir-lhe o acesso.

Instrumentos rudes, tambores e outros veículos de percussão soavam em perturbadora musicalidade, facultando aos desocupados que observavam o fluir da estranha agitação.

Utilizando-se de aparelhos de projeção da voz, gritavam ameaças grosseiras e impertinentes, como se estivessem dispostos à destruição do conjunto de edifícios nos quais se realizavam os labores espíritas.

Concomitantemente, as defesas foram reforçadas através de Espíritos bem preparados com equipamentos especiais, que podiam emitir ondas eletromagnéticas, que, atingindo-os, produziam sensações semelhantes aos choques elétricos. E porque o atraso moral dos militantes fosse muito grande, guardavam as sensações da existência física, tornando-se alvo muito fácil para a preservação do ambiente.

Alguns dos seus comandantes conheciam o efeito desses recursos, havendo-se decidido por manter uma distância especial, não obstante procurassem impedir que as vias de entrada para o edifício central ficassem interditadas.

Aproximando-se do imenso portão material, madre Clara de Jesus abriu os braços em atitude de súplica e exorou o socorro divino.

A sua voz, doce e vibrante, assinalada pela compaixão em favor dos agressores, exteriorizava-se em música de amor, suplicando o auxílio do Mestre Inconfundível e das Suas falanges abnegadas.

Ainda não terminara a exoração, quando um volumoso jato de luz, mais iridescente que a claridade do amanhecer, desceu de Regiões elevadas, e, dentro dele, numerosos Espíritos de semblante grave chegaram, respondendo ao apelo da diretora preocupada.

Lentamente avançaram na direção dos visitantes perturbadores, que lhes percebendo a superioridade moral e a força espiritual que irradiavam, em gritaria infrene debandaram novamente, atropelando-se uns aos outros, enquanto as *animálias* desorientadas tombavam umas sobre as outras, e a sombra densa que os acompanhava era clareada pela exteriorização dos recém-chegados.

À medida que se afastavam em desordem, qual ocorre nas batalhas terrestres com a retirada dos vencidos, eram estabelecidos limites bem guardados em torno da casa de ação cristã, e voluntários espirituais se postavam, defendendo o acesso, que continuou sem qualquer problema.

A sábia administradora entreteceu considerações oportunas, esclarecendo-nos a ignorância em torno de questão tão delicada, pertinente às organizações espirituais inferiores.

– *As tenazes do mal* – começou, informando – *são de perversa constituição. Quando os seus áulicos se percebem em confronto com os legionários da Verdade, equipam-se de recursos odientos e passam a ameaçar e agir, de forma que voltem ao poder, sem quaisquer prejuízos em torno das prerrogativas que se permitem na sua profunda estupidez ante as Leis da*

Vida, que pensam manter violadas por tempo indefinido. Especialmente aqueles que são os inspiradores das desordens sexuais, por nutrirem-se das energias das suas vítimas de ambos os planos da existência, tornam-se furiosos e investem com toda audácia contra os que pensam poder vencer, firmados na alucinação do seu falso poder. Inúmeras vezes têm investido contra a Humanidade, utilizando-se da fraqueza moral dos seres humanos para envolvê-los em seduções nefastas, contagiando-os com os seus fluidos degenerados e levando-os, não poucas vezes, ao paul das orgias e loucuras onde chafurdam.

Enfrentaram religiosos que, de início, ofereceram-se à fé que abraçam forrados por sentimentos nobres, mas que não resistiram às tentações, em razão do passado sombrio que ainda os governava e em face das situações em que se viram colocados.

Outras vezes, cidadãos portadores de reto proceder, quando amadurecem e se encontram próximos de concluírem a lide, à sua instância infeliz têm os apetites açulados e estimulados por outras pessoas devassas que servem de instrumento aos interesses inferiores dessas Entidades, que são atraídas, perturbando o programa de vida a que se vinculavam e impossibilitando-os de concluir os compromissos que lhes são essenciais à vitória sobre si mesmos.

Não podemos negociar com o mal nem imiscuir-nos com os maus. Por essa razão, o sábio Nazareno que lhes conhecia as urdiduras e o abismo de impiedade em que se atiraram, ensinou-nos a solicitar ao Pai amoroso que nos livre do mal, *porque ainda não possuímos a necessária condição para enfrentá-lo com equilíbrio, sem o perigo de contágio. Porque os maus se utilizam de quaisquer recursos impróprios e os nossos são os do amor, levam momentânea vantagem, em se considerando que não nos permitimos competir mediante os mesmos escusos processos, contando invariavelmente com a bênção do tempo e a resolução da própria criatura a quem nos dispomos a ajudar.*

Manteve-se em recolhimento rápido, e logo após deu prosseguimento aos seus lúcidos esclarecimentos:

— *Seremos convocados a graves situações, nas quais o testemunho será o nosso sinal cristão, resistindo às forças cruéis da perseguição inclemente e ampliando os horizontes da lídima fraternidade que deve viger entre os indivíduos.*

Voltar-se-ão, esses irmãos enfermos, contra os bons trabalhadores da Seara de Jesus, criando situações embaraçosas e atirando pessoas sem escrúpulos, fáceis de conduzir, nos seus braços, a fim de os envolverem na urdidura das suas tramas, para depois os arrebanharem nas suas implacáveis proposições. Toda a vigilância e misericórdia que nos estejam ao alcance serão necessárias para uma boa aplicação, gerando recursos defensivos em caráter de prevenção, como também vitalizadores para romper com as ciladas que se apresentarão com frequência. Contaremos, todavia, sempre e sem cessar, com o auxílio do Mestre Jesus, que experimentou a crueza da hediondez humana, em sucessivas conspirações para colherem-nO impiedosamente. Ele sempre esteve em sintonia com o Pai, vencendo os Seus inimigos, que são os incontáveis e contumazes adversários da Humanidade que se liberta lentamente da animalidade, buscando a espiritualização.

O sexo tem sido um espinho cravado nas carnes da alma humana, *dilacerador e contundente espículo que gera muito sofrimento. Gerações sucessivas de seres predispostos ao progresso têm experimentado derrocada, em face das exigências mal compreendidas do desejo e da utilização sexual. Perturbado, vezes sem conta, nas suas funções, responde por inúmeros destrambelhos da emoção, da mente e do organismo, gerando consequências afligentes ao largo das sucessivas reencarnações. Todavia, é o veículo da perpetuidade da espécie, gerador e estimulante de ideais de beleza, na Arte, no pensamento, na Ciência, na Tecnologia, como fonte de estímulos que impulsionam para a conquista do progresso. Deve, portanto, ser transformado em flor e fruto de bênçãos, sempre que direcionado para as magnas finalidades a que se destina, ficando, à margem, a brutalidade e o primitivismo que lhe deram origem nos recuados tempos das primeiras manifestações... Na Terra dos nossos dias, tem-se tornado trator vigoroso, utilizado de forma indevida quase sempre, por isso mesmo arrastando multidões que se bestializam intoxicadas pelos seus vapores e pelas promessas enganosas de gozo infindo.*

A longânime benfeitora reflexionou por um pouco, e concluiu:

– *Hipnotizadas pela alucinação do prazer, centenas de milhões de criaturas humanas, ainda vivenciando as faixas da sensação sexual, deixam-se escravizar pelos impulsos mal direcionados e tornam-se vítimas de carrascos da sua paz, que as seviciam com os seus instrumentos de perversão, exercendo domínio sobre suas mentes e sentimentos. Reencarnam e desencarnam num vaivém que parece interminável, até quando expiações pungentes e martirizantes interrompem o ciclo do ir e vir quase sem proveito. É o que ocorrerá nos próximos anos com os irmãos ora recolhidos pelo Amor de Jesus Cristo e dos Seus mensageiros que os recambiam ao corpo anatematizado pelas aflições, de modo a reajustarem o perispírito e volverem aos ideais de vida e de harmonia. Entretanto, legiões voluptuosas renascerão no mundo das criaturas terrestres, procurando retratar e repetir os excessos que se têm permitido e as estruturas sórdidas quão nefastas da* cidade impiedosa, *com que seduzirão os indecisos, dominarão os semelhantes e ameaçarão a estabilidade de muitos combatentes do bem e do progresso. Cuidemos para não lhes cair nas ciladas nem nos deixarmos arrastar por seus encantos mentirosos e seduções venenosas, seguindo pela porta estreita, enquanto os nossos* espinhos *se arrebentarão em flores de caridade e de amor, de ação benemérita e de dever, como filhos biológicos, ideais de dignificação humana, realizações edificantes e de sabor eterno. Jesus é Vida, e com Ele a luta é honra que não podemos descurar.*

Concluídas as sábias informações, ficamos a considerar os volumosos desafios que estavam destinados aos bons trabalhadores do Evangelho, de forma que pudessem permanecer fiéis aos postulados do dever, vivenciando-os, de maneira a confirmar-lhes a excelência, recurso único eficaz para desbaratar as construções do mal e dos seus pugnadores.

Podia considerar que durante muito tempo a nobre Instituição iria sofrer as investidas da crueldade e da astúcia, utilizando-se da fragilidade dos seus membros. Não ignorava, no entanto, conforme acabara de presenciar, que os recursos valiosos do Alto desceriam sempre quando necessários, a fim de que não faltasse o pão de luz nos seus celeiros de amor, nem as valiosas bênçãos da coragem e dos valores morais para os enfrentamentos inevitáveis.

Podia também considerar que as reencarnações em massa iriam trazer aqueles infelizes ao proscênio terrestre, a fim de que tivessem chance de evoluir, arrastando, com as suas paixões, verdadeiras multidões afins, de cuja maneira sairiam das regiões do vandalismo para novos tentames que os conduziriam a outras estâncias, onde dariam curso ao progresso. No momento da grande transição do planeta, travar-se-ia a luta final em sucessivas batalhas, conforme a Lei de Destruição, facultando a renovação inevitável.

Com a chegada do Sol e a movimentação de pessoas na via pública, as atividades convencionais da Casa Espírita se iniciavam e as orações que assinalavam os labores mantinham os vínculos com as Esferas elevadas.

Em torno, no entanto, das fronteiras limítrofes do refúgio educativo, os desordeiros se movimentavam, dando curso à programação de desforço e tentativas de invasão, que se prolongariam indefinidamente...

Era comovedor notar as sábias diretrizes da mentora madre Clara de Jesus, que, tomada pela consciência do dever, prosseguia no ministério como se nada houvesse acontecido digno de nota ou de preocupação.

21
Recomeço feliz

O jovem padre Mauro despertou dominado por uma disposição de efetivo bem-estar. Desde quando tiveram lugar os acontecimentos perturbadores, cujo desfecho daria início à vivência de uma nova ordem de valores, nunca se sentira tão bem quanto naquele amanhecer. Recordava-se, fragmentariamente, de algumas das ocorrências espirituais de que participara, embora tivesse dificuldade de coordenar todos os fatos. Sentia-os interiormente e em forma de emoção restaurada, como se a chaga moral que sempre exsudava angústia houvesse recebido um penso balsâmico refazente.

Considerava que os sonhos recentes estavam recheados de informações inabituais, e davam-lhe a impressão de que vivia uma dicotomia de apoio de anjos em luta contra demônios que o sitiavam e afligiam. A verdade é que, tomado de impulso enriquecedor de paz, acercou-se do oratório, na capela próxima ao quarto e, ajoelhando-se, conforme a disposição religiosa da fé que abraçava, envolveu-se nas delicadas vibrações que defluem da prece ungida de sentimentos elevados.

Buscando o refúgio espiritual e a comunhão com Deus, sua mãezinha acercou-se-lhe e, em doce colóquio de mente a mente, procurou restaurar-lhe algumas lembranças das atividades vividas, há pouco, em nossa Esfera, a fim de que ficassem impressas definitivamente, servindo-lhe de apoio e de segurança, assim como de roteiro para a plena libertação.

A blandícia proporcionada pela oração, quando bem entendida pela criatura humana, proporcionar-lhe-á no seu exercício o reconforto e a coragem para todos os momentos, sempre que recorrendo aos seus tesouros e o fazendo com mais frequência do que lhe é habitual. Quando o ser humano ora, penetra nos arcanos espirituais e refaz-se, adquirindo paz e enriquecendo-se de sabedoria, por estabelecer uma ponte de vinculação com as Fontes do conhecimento, das quais promanam os bens da Imortalidade.

A prece seria, a partir de então, o bastão de apoio emocional do jovem sinceramente arrependido e preparado para o recomeço da luta. Sob a inspiração da genitora devotada e o amparo dos mentores aos quais ela havia recorrido, ser-lhe-ia possível avançar vencendo os obstáculos, que não seriam poucos, e que deveria ultrapassar.

Sucede que cada qual somente pode colher aquilo que haja semeado anteriormente, cabendo-lhe o discernimento para, enquanto recolhe os cardos deixados pelo caminho, realizar nova ensementação, agora de luz e de bênçãos, que lhe constituirão a seara futura por onde transitará.

Naquele momento, portanto, a abnegada genitora, utilizando-se da percepção acentuada do jovem sacerdote, intuiu-o de que a luta seria áspera, e ele se veria a braços com situações muito perturbadoras, teria ensejo de voltar aos mesmos vícios, seria induzido, pelo pensamento e pelas circunstâncias, a reincidir nos anteriores gravames, cabendo-lhe fugir da tentação através da oração e da ação beneficente, renovadora.

A prece propicia forças espirituais e morais, mas a ação preenche os vazios existenciais, facultando vigor e superação das falsas necessidades a que o indivíduo, pelos hábitos doentios do passado, afervora-se.

Através da linguagem silenciosa do pensamento advertiu-o sobre as influências dos seres perversos que rondam as criaturas humanas e as induzem a atitudes vergonhosas e comprometedoras através do crime, elucidando também que, concomitantemente, anjos benfeitores protegem os seus tutelados, infundindo-lhes valor e inspirando-os na luta do bem invariável.

Ele permaneceu por largo período no refúgio espiritual da oração, mergulhando nas esperanças do futuro.

E porque estivesse assinalada uma nova entrevista com o senhor bispo para aquela tarde, dona Martina deixou-o nos deveres que lhe diziam respeito, a fim de que, no momento aprazado, com o nobre instrutor pudéssemos acompanhar o desdobramento da terapia curadora do querido enfermo.

Quando Mauro procurou o seu pastor, ao cair da tarde, havia uma psicosfera de acentuada paz na residência episcopal. O sacerdote, cônscio dos seus deveres, considerando a gravidade da ocorrência que defrontava pela primeira vez durante todo o seu ministério, não descurou de procurar uma solução adequada de forma que as consequências pudessem ser atenuadas, evitando futuros desastres dessa ou de outra vergonhosa natureza. Havia-se dedicado ao rebanho com fidelidade, confiando nos postulados da fé que elegera como roteiro de iluminação e de salvação para os fiéis que se lhe entregavam confiantes. Em razão disso, foi-lhe muito penosa a realidade dos infelizes acontecimentos. Ao tempo que assim conjeturava, compreendia também que não podia destruir a existência do jovem padre, que sempre se lhe afigurara um homem de bem, digno servidor da grei. De maneira discreta, procurou ouvir outras autoridades religiosas e psiquiatras, resolvendo encaminhar o paciente a uma clínica especializada, que vinha atendendo a casos equivalentes, como a alguns de outra natureza, quando se apresentavam transtornos depressivos, desvios esquizofrênicos...

Com excelente disposição psíquica, recebeu o filho espiritual e, após algumas considerações valiosas, procurou auscultar-lhe os sentimentos.

Fortemente inspirado pelo irmão Anacleto, Mauro narrou que uma incomum transformação interior nele se operara. Havia vivido experiências oníricas, semelhantes às de muitos santos e taumaturgos, conforme relatos constantes nos livros sagrados.

– *Anteriormente* – acrescentou, algo constrangido – *sentia-me arrebatado por verdadeiros seres diabólicos que me levaram a regiões de gozo incessante e exaustivo, vampirizando-me as forças e deixando-me sequioso de vivências equivalentes. Dias houve, nesse ínterim, tão terríveis, que despertava mal-humorado, infeliz, dominado por desejos incoercíveis, sendo impelido por forças cruéis a práticas abomináveis de que me arrependia e me condenava sem cessar. Nessas ocasiões, eu tinha a sensação de haver estado no inferno, de onde retornava sob maléfica influenciação. Nos últimos dias, porém, mais de uma vez, encontrei-me em lugares de oração e de socorro, onde não poucos seres angélicos não só me atenderam como também a outros que me pareciam familiares.*

Calou-se, por um pouco, concatenando ideias e tentando captar melhor o pensamento do benfeitor espiritual, para logo prosseguir:

— *Nesses momentos tenho visto minha mãe que, como sabe Vossa Eminência, é falecida há quase cinco anos. Aparece-me no vigor da sua juventude, tomada de profunda compaixão pelos meus atos ignóbeis, protege-me dos seres satânicos, que a respeitam, como também me infunde ânimo para prosseguir. Não fosse esse socorro propiciado pela Divindade e ter-me-ia suicidado na mesma noite em que a professora Eutímia me surpreendeu com a criança. A vergonha, o asco que, de mim próprio, senti, tomaram-me o Espírito fragilizado e uma voz terrível fazia repercutir no meu íntimo que o suicídio seria a única solução para o meu miserável destino.*

— *Mas você, que conhece as Santas Escrituras, sabe que o suicídio constitui um crime hediondo, para o qual não há perdão da Igreja nem de Deus...*

— *Sim, Eminência, eu o sei, mas sucede que a minha mente era vulcão em erupção, não havendo lugar para qualquer raciocínio lógico, para qualquer entendimento da vida nem da religião. Sentia-me assaltado por forças mais poderosas do que eu, e não vendo perspectiva para o futuro, a fuga seria a solução do momento. Felizmente, a mãezinha apareceu-me, não sei como, e libertou-me da instância do mal, fazendo-me adormecer e conduzindo-me para um lugar fora da Terra, onde me pude refazer e recuperar. Na noite passada, novamente estando em uma estância de trabalho ativo, participei de uma reunião singular, em que* anjos *e* demônios *travaram uma estranha batalha, e na qual eu era uma das personagens envolvidas, ao lado de outros que me pareciam conhecidos, detestáveis alguns, amados outros...*

– Você deve recordar-se – interrompeu-o o senhor bispo – *de que Jesus referiu-se a muitas moradas na Casa do Pai, havendo-nos prometido ir* preparar lugar *para nós outros, conforme anotou São João, no capítulo número quatorze do seu Evangelho. Eu sempre pensei que essas moradas são os astros que constituem o Universo, mas também são redutos onde estagiam os Espíritos após a morte antes de seguirem ao seu destino final, conforme os atos praticados no mundo. Penso que o* Purgatório, *por exemplo, não seja um lugar definido geograficamente, mas incontáveis regiões de dor e de sombra, na Terra e fora dela, onde os culpados expungem e se depuram, tendo ensejo, então, de ascender ou não ao Paraíso. É certo que a minha reflexão não encontra respaldo teológico, conquanto não exista nada em contrário.*

Continue a sua narração, e desculpe-me a interrupção, que resulta do meu entusiasmo por encontrar confirmação para um pensamento que me acomete desde há muito...

Sem maior delonga, Mauro deu curso à narração das suas experiências fora do corpo físico.

– *Na noite anterior* – continuou, algo relutante –, *acompanhando as ocorrências que não me estão muito claras na mente, mas que retornam agora, como que sob uma ação mágica em um caleidoscópio vivo da memória, fui convidado à renovação e foram desenhadas possibilidades para o meu reencontro e equilíbrio, devendo dedicar-me a Jesus e à Sua Mensagem, especialmente reabilitando-me mediante a edificação de um lar para crianças profundamente marcadas, infelizes, inspiradoras de constrangimento e de compaixão, em cujo convívio poderei superar as minhas más tendências e tornar-me um verdadeiro servidor do Evangelho. A princípio, fui tomado de espanto e medo, pensando nos riscos de estar ao lado das tentações mais graves e com imensas possibilidades de repetir os crimes de que me desejo libertar. No entanto, nobre ser espiritual me elucidou que a ternura e a misericórdia ante as deformidades que as caracterizarão, ser-me-iam o bastão de apoio e o medicamento salutar para manter-me em saudável equilíbrio, enquanto a caridade seria uma luz na noite da minha solidão. Confesso que estou animado com a possibilidade e espero poder recuperar-me de todo o mal que pratiquei, através de todo o bem que poderei fazer...*

— *Alegro-me sobremaneira com essas informações* — interrompeu-o o eclesiástico, emocionado —, *porque o Senhor da Vida espera que as ovelhas que se tresmalham retornem ao redil, não ficando no abismo ao qual se arrojam. Recordemo-nos da* Parábola do Filho Pródigo *e, consequentemente, da imensa alegria que invadiu o pai, quando o jovem tresvariado e infeliz retornou ao lar, preferindo mesmo enfrentar qualquer reação do genitor, caso a houvesse negativa, a continuar entre os* porcos *conforme estava. Há sempre esperança no bem, quando há honestidade no arrependimento e interesse no recomeço. Todos erramos, em face da nossa estrutura de humanidade, das imperfeições que nos caracterizam, tendo, porém, o dever de nos reabilitarmos, trilhando a mesma estrada no sentido inverso, reconstruindo, passo a passo, tudo aquilo quanto danificamos ou malbaratamos. Somos contínuos aprendizes da vida em processo de crescimento para Deus. Não poucas vezes, nos meus devaneios espirituais interrogo-me se uma existência única é suficiente para alcançar-se a meta, para adquirir-se a sabedoria, para a conquista da plenitude. Diante do Infinito, a nossa relatividade de tempo expõe-nos a situações muito perturbadoras, que nos impossibilitam alcançar os patamares superiores do êxito, especialmente quando defrontamos limites de vária ordem. Como poderia Deus exigir de pessoas diferentes, portadoras de valores diversos, resultados idênticos? Como entender a salvação dos réprobos morais, que já nasceram assinalados pelas deformidades do caráter, ou vitimados pelas heranças genéticas degradantes irreversíveis?*

Percebi que o irmão Anacleto havia colocado a destra sobre a fronte do bispo, infundindo-lhe coragem e lucidez de raciocínio, de forma que, naquele momento, suas anteriores reflexões encontrassem maior campo de discernimento e de claridade, a fim de assegurar-se da exatidão dos seus raciocínios.

Quase iluminado pelo contato com o nobre benfeitor, não pôde sopitar o entusiasmo, prosseguindo:

— Alguns pensadores da Igreja cristã primitiva, tais Orígenes, Tertuliano, Santo Agostinho, Ambrósio, para citar apenas alguns, acreditavam na transmigração das almas em diversos corpos, por cujo meio adquiriam sabedoria, depuravam-se e cresciam para Deus. Os seus erros, por mais hediondos, sempre podiam ser reparados na Terra mesmo, onde haviam sido cometidos. Todos os crimes e práticas comprometedoras eram reparáveis, o que explicaria as aberrações físicas e morais que caracterizam muitos seres, aprendendo na dor a valorizar o amor, aprisionadas no cárcere carnal, *caso não hajam sido alcançadas pela Justiça que as não corrigiu nem edificou. Dessa forma, Deus concederia iguais oportunidades a todos os filhos, facultando-lhes o crescimento interior a esforço pessoal, sem que alguns sejam agraciados em detrimento de outros que teriam que lutar para alcançarem os mesmos recursos e fruírem os mesmos direitos. Sem contestar o estabelecido pela Igreja, a mim*

me parece muito mais compatível com a Justiça de Deus a doutrina da transmigração das almas por muitos corpos, do que a vida única, com imediatas consequências de felicidade total ou punição eterna. Sei que isso pode incidir em blasfêmia, porque o II Concílio de Constantinopla, reunido no ano de 552, condenou as doutrinas de Orígenes, *objetivando, essencialmente, negar a reencarnação.*

Depois de um silêncio, que se fez natural, o Sr. bispo acrescentou:

– *Desculpe-me o entusiasmo e a interrupção da sua interessantíssima narrativa, que me faz recuar a experiências semelhantes que vivenciei no passado.* Gostaria de continuar ouvindo-o a respeito das suas, digamos, viagens astrais, *conforme são denominadas pelo Esoterismo e outras doutrinas ocultistas.*

Mauro, que se encontrava visivelmente reconfortado, ainda mais com as informações do seu pastor que confirmavam alguns dos acontecimentos que vivenciara quando em desdobramento da personalidade ou espiritual, sentiu-se encorajado a informar:

– *No já referido encontro da noite passada, ficou estabelecido que alguns daqueles seres por quem eu sentia emoções desencontradas, deveriam voltar ao corpo, a fim de viverem comigo, em razão de vinculações profundas que nos unem. Não sabendo aquilatar o de que se trata, não obstante, senti-me muito feliz e despertei com novas disposições para o futuro, contando com o apoio e o perdão de Vossa Eminência.*

Os dois sorriram, como se um conciliábulo de significado superior estivesse sendo firmado naquele momento.

– *Agora* – informou o prelado – *passemos aos planos a respeito do seu futuro próximo, a fim de que, mediante cuidadosa terapêutica, você possa superar os desvios de compor-*

tamento e a perturbação emocional de que tem sido objeto. Também eu acredito, sinceramente, na interferência de seres demoníacos e de anjos nos atos de nossas existências. Eles sempre nos assessoram, conforme a conduta que nos permitimos. No caso em tela, essas forças do mal, tiranizantes e perversas, tentam todas as almas que pretendem viver os preceitos do Evangelho, utilizando-se das debilidades do caráter de cada uma, para as desencaminhar, levando-as aos dédalos infernais... Todavia, reconhecemos que o mau hábito cria condicionamentos, e que esses devem ser tratados conforme a valiosa contribuição das ciências contemporâneas.

Medindo as palavras, a fim de atingir o auge da orientação, expôs:

— *Como você há de compreender, o seu não é um caso isolado em nossa Igreja. Outros sacerdotes também, na sua condição de criaturas humanas falíveis, têm sido vítimas de situações psicológicas e mentais semelhantes ou com algumas variantes, o que tem preocupado as nossas autoridades, que vêm recorrendo ao auxílio da Medicina, para socorrer aqueles que são vítimas desses transtornos e de outros problemas na área do comportamento e da emoção. O assunto é sempre tratado com o máximo de discrição, a fim de evitar-se ampliar as proporções da ocorrência, que não trariam qualquer benefício a quem quer que seja, ao mesmo tempo buscando recuperar aquele que se haja comprometido ou tombado nas armadilhas da insensatez. Em tudo, a Igreja deve intervir com sabedoria e cuidado, amparando o equivocado e socorrendo sua vítima, mantendo o programa da paz e da felicidade possível entre todos. Dessa maneira, entrei em contato com uma clínica psiquiátrica, que já tem recebido outros sacerdotes, a fim de que o seu caso seja estudado e você receba a orientação psicológica correspondente, recuperando-se o mais rapidamente possível, para prosseguir nos compromissos que lhe dizem respeito.*

O sacerdote encontrava-se realmente comovido. Aquela entrevista, que deveria decidir um destino em tormento, evitando graves problemas para outras vidas, ensejara-lhe, também, reflexões em torno das quais jamais se atrevera apresentar a alguém, parecendo-lhe agora tão reais e ricas de conteúdo, que lhe facultavam melhor entendimento das Leis da Vida em torno dos seres humanos, amenizando aflições que o vitimavam de quando em quando, ao pensar no destino e na condenação perpétua das almas.

Por fim, concluiu a entrevista:

– Já tomei todas as providências possíveis para o seu internamento, que correrá por conta do setor competente da nossa Igreja. A partir de hoje, o meu querido filho espiritual poderá transferir-se para o seu novo domicílio. Enquanto isso ocorre, irei estudar uma paróquia para onde transferi-lo após receber alta, na qual, entre pessoas humildes e necessitadas, você possa reerguer-se para Jesus... E se tudo transcorrer conforme esperamos e desejamos, estou disposto a contribuir em favor do seu lar de crianças, mesmo que seja numa área fora da minha administração clerical. Manter-nos-emos em contato epistolar e terei imensa felicidade em abraçá-lo proximamente aqui mesmo, quando o encaminharei a novos labores, procurando deixar no passado as suas lições, que servirão de alicerce para as construções do bem no futuro. Que Deus o abençoe, meu filho, e que nunca mais se aparte da senda da caridade.

O senhor bispo entregou-lhe um envelope, no qual estavam as diretrizes a respeito do internamento, com a documentação e as recomendações necessárias.

Abraçou-o, afetuosamente, e o abençoou, conforme a tradição eclesiástica.

Uma estranha sensação dominou-o, como se não mais viesse a ver novamente o jovem sacerdote por quem nutria peculiar afeição.

Logo após, recolheu-se em oração defronte do oratório, onde, invariavelmente, buscava a comunhão com Deus.

Envolveu o jovem amigo em preces de recomendação, guardando a certeza de que as suas foram decisões acertadas e os resultados, que sempre pertencem ao Pai Celestial, seriam opimos.

Mauro afastou-se dominado por grande alegria interior, como se algemas se arrebentassem, de alguma forma libertando-o de um passado cruel. Sentia que muitas dores o aguardariam no transcurso da existência, no entanto, sabia também que nunca lhe faltaria o apoio dos anjos tutelares, que sempre velam pelas criaturas humanas.

Distanciando-se do guia espiritual, reconheceu-lhe a nobreza de caráter e a fidelidade à Doutrina que abraçava com amor e abnegação. As suas eram sempre atitudes nobres acompanhadas de testemunhos de amizade e de alto discernimento, adaptando sempre os impositivos da Igreja às circunstâncias e aos tempos atuais. Por isso, era tido como um verdadeiro pastor, um sábio da Doutrina Católica.

Caminhando pela rua deserta em pleno crepúsculo, teve a impressão de que também o mal que o dominava se eclipsava, a fim de, passada a noite, amanhecer novo dia, que lhe seria abençoada ocasião de serviço e de paz.

O irmão Anacleto, sensibilizado com os resultados dos cometimentos, formulou votos de êxito em favor do pupilo espiritual e convidou-nos a retornar à sede das nossas atividades.

Dona Martina aproximou-se do benfeitor com os olhos marejados de pranto de gratidão e, sem qualquer palavra, osculou-lhe a destra, envolvendo-o num olhar de afetividade profunda e imorredoura.

Ela podia sentir que o filho experimentaria muitos sofrimentos, mas reconhecia que a estrada de sublimação é pavimentada com as lições da *Via Crucis*, perlustrada pelo Incomparável Rabi Galileu, e das estradas da Úmbria, percorridas por Francisco de Assis. Exultava, portanto, e, rica de gratidão ao Senhor da Vida, entregou-se às emoções superiores que defluem do culto reto do dever e da confiança irrestrita nas Suas Leis.

O amoroso guia com muita habilidade desviou qualquer possibilidade de mérito pessoal, transferindo todas as honras e realizações ao Supremo Realizador.

Logo após, seguimos ao núcleo de atividades onde estagiávamos.

Pensando nas crianças que haviam sido ultrajadas por Mauro e no pequeno que, por pouco, não se lhe tornou mais uma vítima, indaguei ao nobre guia:

– *Estão sendo tomadas providências em favor daqueles que sofreram a perturbação sexual do sacerdote, tais como as que estão sendo direcionadas em seu favor?*

O generoso instrutor sorriu, gentil, e redarguiu:

– *Naturalmente. Se aquele que cometeu os delitos está recebendo ajuda para não reincidir no mal, considere as providências que estão sendo tomadas em benefício das suas vítimas! Nada fica sem conveniente atendimento, especialmente quando se trata daqueles que foram empurrados para o erro, embora os atavismos da retaguarda.* Equipe especializada de nossa Esfera, igualmente parte do nosso grupo de realização, está auxiliando os pequenos vitimados e tomando providências possíveis para os ajudar em relação ao futuro, minimizando os traumas psicológicos e as dependências perturbadoras que, por acaso, venham-se-lhes apresentar. Com certa frequência temos recebido notícias das providências em curso e exultamos com os excelentes resultados que estão sendo colhidos.

Nesse momento, chegamos à sede do nosso labor.

22
Considerações edificantes

A noite estava esplêndida, como se participasse das inefáveis alegrias que nos invadiam o mundo íntimo.
As atividades a que fôramos convocados, com exatidão e equilíbrio avançavam para o encerramento.
A problemática inicial, motivada pelos transtornos do jovem padre Mauro, tomava novo rumo e as consequências se afiguravam naturais, como resultado inevitável do empreendimento iluminativo.
Utilizando-me da circunstância, que me parecia favorável, solicitei escusas ao benfeitor, interrogando-o:
— Como será o processo de recuperação do sacerdote? Permanecerá ele fiel ao programa traçado anteriormente ou sucumbirá ante novas perturbações, que quase sempre acometem aqueles que se encontram em processo de renovação?
O paciente benfeitor olhou o zimbório pontilhado de estrelas coruscantes e respondeu com simplicidade:
— Embora eu não possua, por enquanto, a faculdade de poder adentrar-me nos penetrais do futuro, depreendo que tudo dependerá do nosso irmão desperto para diferente realidade da vida. Todos os indícios demonstram que ele enfren-

tará as dificuldades que advirão da sua decisão feliz, confiado em Deus e resignado. Caso, porém, não encontre resistências morais para os enfrentamentos, a Divindade sempre possui recursos especiais para retificar caminhos e reconduzir os infratores ao dever, ensejando-lhes novas oportunidades.

Como medida acautelatória e providencial, a sua genitora providenciou junto aos nobres mentores desencarnados, auxílio especial, considerando que o nosso pupilo, mediante o sofrimento, ampliará possibilidades de natureza mediúnica e, oportunamente, despertará para novas decisões enriquecedoras.

Pelo que posso depreender, o nosso irmão terá facilidades no futuro de manter comunicação com o Mundo espiritual, terminando por abraçar a Doutrina Libertadora, realizando o objetivo edificante da caridade junto às criancinhas marcadas pelo processo de evolução no lar que deverá erguer como processo de autodepuração. Em face dessa possibilidade, por meio do socorro espiritual aos sofredores do Além granjeará mérito para desincumbir-se do programa que abraçará.

O futuro é sempre imprevisível, em razão de ocorrências surpreendentes que induzem o indivíduo à mudança de atitude e de compreensão da vida. Não são poucos aqueles, conforme temos constatado, que tombaram ante os testemunhos, não havendo conseguido vencer as más inclinações e superar as tendências negativas com as quais antes se comprazicam. Ademais, o cerco promovido pelos adversários espirituais torna-se sempre tão coercitivo que, exigindo coragem e abnegação a que o candidato ao bem não está acostumado, termina por desviá-lo da rota que deveria seguir. Todavia, se reflexionar um pouco mais e considerar os valores a que se deve aferrar, logo entenderá que as dificuldades fortalecem o caráter e os desafios desenvolvem os sentimentos de nobreza do coração e de lucidez da mente.

As árvores enrijecem as fibras enfrentando os vendavais que as vergastam, assim também os seres humanos.

– Seria possível prever-se como renascerão o marquês e Rosa Keller, de forma que possam recuperar-se dos gravames e problemas de que foram objeto, avançando pela senda renovadora?

Sem demonstrar enfado ou cansaço ante as nossas insistentes questões, redarguiu de boa mente:

– As providências em curso programam para ambos um renascimento assinalado por limites muito severos. Como já vimos, eles terão necessidade de esconder-se no corpo, de forma que não sejam identificados pelos inumeráveis adversários que já os buscam, e outros tantos, que estarão tentando encontrá-los na forma física, no futuro, a fim de se desforçarem dos sofrimentos experimentados. Agora, ante o que os residentes na cidade perversa *consideram como deserção, os seus chefes providenciarão meios escabrosos a fim de encontrarem o antigo condutor de uma das suas áreas, para poderem afligi-lo e reconduzi-lo de volta. Desorientados e loucos, acreditam-se capazes de poder realizar quase tudo quanto lhes passa pela mente em desalinho. Divorciados, momentaneamente, das Leis de Deus, supõem que a alucinação permanecerá* sine die, *como se fossem a representação das entidades mitológicas que povoariam o* inferno, *onde supõem encontrar-se, gozando individualmente e infelicitando todos quantos lhes tombam nas armadilhas soezes.*

Desse modo, a venerável futura genitora Marie-Eléonore voltará ao corpo em breve, a fim de os receber como filhos gêmeos, ele cego e demente, ela surda e com várias limitações orgânicas... Experimentarão a orfandade muito cedo, quando o genitor os abandonará e a mãezinha abnegada, concluído o mister para o qual renascerá no mundo físico, retornará vencida por cruel enfermidade do aparelho respiratório... Será nesse comenos que o nosso atual paciente Mauro os encontrará, recolhendo-os nos braços e no coração da caridade, no lar que já deverá estar em funcionamento em cidade muito pobre no interior do país. Identificando-os como seres aos quais necessita amar e socorrer, tornar-se-lhes-á devotado genitor espiritual, velando pela sua existência e iluminando-os com as incomparáveis lições do Evangelho de Jesus interpretadas pelo Espiritismo, que não poderão assimilar através do corpo enfermo, porém captarão psiquicamente, incorporando-as ao patrimônio espiritual para o futuro.

Como sabe o amigo, nada se perde no Universo. A poeira que sobe e polui a atmosfera, assim como outros resíduos químicos e de qualquer natureza, são os responsáveis pela aglutinação das moléculas que se transformam em nuvens e volvem em forma de chuva generosa, limpando as impurezas do ar e da Natureza. Incapazes de raciocinar, em face das deficiências cerebrais, entenderão pelo Espírito as determinações soberanas e aprenderão submissão, humildade e honradez para os futuros embates da evolução.

Rogando ainda perdão ao benfeitor, insisti no tema, indagando:

— *Sofrerão algum tipo de obsessão, em face dos desatinos praticados, especialmente o Marquês de Sade?*

Imperturbável e acessível, o mentor elucidou:

— *Razões não faltarão para que ele experimente a colheita psíquica da sementeira de monstruosidades que deixou pelo caminho. Por essa razão, renascerá nos tormentos da demência, vivenciando também contínua obsessão provocada por alguns inimigos muito próximos e dos quais não poderá fugir. Essa luta, que travará em espírito, afligi-lo-á demasiadamente, de forma que, ao libertar-se, ao concluir a prova, poderá curar-se das aberrações que se lhe encontram fixadas no ser por largo período e das suas consequências degenerativas, aprendendo retidão e equilíbrio. Ser-lhe-á o ferro em brasa para o cautério da alma aberta em feridas morais graves. Ela, no entanto, em sua condição de vítima e, mais tarde, em razão dos desatinos que se permitiu, experimentará também a presença insidiosa de dois Espíritos rudemente abortados, que a não perdoaram e aguardam o ensejo de localizá-la, o que conseguirão através da* Lei de Afinidades, *que estabelece a identificação dos semelhantes vibratórios. Nunca nos devemos esquecer que* onde se encontre o réprobo devedor, aí também estará o infeliz cobrador.

Os processos da Justiça Divina seguem métodos de harmonia e de amor, de forma que ambos os contendores tenham o mesmo ensejo de reparação e de crescimento interior, de forma que se possam libertar da inferioridade e alcancem mais elevados patamares da felicidade.

Desse modo, enquanto os adversários espirituais estarão afligindo-os, em razão de se encontrarem os pacientes no Lar da Caridade sob a inspiração de Jesus e recebendo as luzes do conforto moral e da misericórdia que verterá sobre eles, serão também beneficiados os seus algozes, porque ouvirão as dissertações espiritistas, receberão as energias saudáveis que serão aplicadas nos enfermos e os atingirão, vivenciarão uma psicosfera inabitual à que lhes é familiar. O Bem tem dimensão infinita. Quando alguém acende uma lâmpada, não apenas se ilumina como oferece claridade a toda uma ampla área. Assim também ocorre com o brilho da mensagem de amor que, ao acender os filamentos internos, irradia luminosidade por toda parte.

Adentramo-nos pela Instituição onde estagiávamos, e a mente esfervilhava de interrogações, que talvez ficassem sem respostas. Percebendo-me, porém, a ansiedade de aprendiz, o generoso amigo sorriu e sugeriu-me que apresentasse novas questões, o que, de imediato, atendi:

– *Penso nas ameaças que foram proferidas pelos Espíritos em debandada e também no atrevimento das hostes que ora sitiam esta nobre Entidade de amor e de caridade. Quais serão as consequências para o ministério aqui desenvolvido? Terão os companheiros reencarnados condições para enfrentar tão perigosa trama?*

– *Caro Miranda* – respondeu jovial como sempre, quase sorrindo –, *convém não esquecermos que, se as trevas se organizam para a ação do mal, o Senhor da Seara vela por esta e pelos seus trabalhadores. Não temos dúvidas de que os companheiros que mourejam nesta Casa, responsáveis e conscientes das suas ações, perceberão a alteração que se dará na psicosfera que envolve o seu trabalho por algum tempo. Todos percebemos quando alguma nuvem tolda, por momentos, a claridade do dia, no entanto não nos preocupamos, porque sabemos que o Sol sempre brilhará, suplantando toda escuridão. Aqueles que se comprometem a servir com Jesus não ignoram que as condições nem sempre serão amenas e que os testemunhos estarão sempre convocando-os à vigilância e advertindo-os dos perigos. Sabem também que, não obstante o joio enrodilhado às raízes do trigo, ameaçando-lhe a existência e produtividade, faz parte da plantação que, nem por isso, poderá deixar de ser realizada.*

Desse modo, os esforços deverão ser redobrados e as atividades mais bem cuidadas, a fraternidade exigirá maior soma de sacrifícios e o respeito nos relacionamentos se apresentará como fator de equilíbrio para evitar que os Espíritos atormentados e infelizes que pululam na sociedade, atraiam-nos à sensualidade, à perversão, ao desvio dos deveres que lhes constituem a razão de ser da própria existência. A benfeitora madre Clara de Jesus adverti-los-á mediante mensagens de esclarecimentos oportunas através da mediunidade de Ricardo, despertando os obreiros do Senhor para maior vivência das lições da Boa-nova em pleno campo de batalha. Posso perceber que serão visitados por enfermos da alma, da emoção e da mente, como já vem ocorrendo, agora, porém, telementalizados pelos governantes da cidade perversa.

Nos atendimentos fraternos, aumentará o número dos insatisfeitos e atormentados do sexo, que vindo buscar socorro, facilmente se interessarão pelas afeições saudáveis, que tentarão envolver nas suas teias de sedução, gerando conflitos e sofrimentos, que superados, irão fazer parte das conquistas dos trabalhadores do bem. Em muitos lugares, em diversas instituições voltadas para a prática do Espiritismo cristão, esses irmãos infelizes induzirão pessoas doentes, que lograrão desviar por algum tempo outras de bom caráter, mas de poucas resistências morais, comprometendo-as sexualmente a desserviço da harmonia que preservavam na família, com os seus parceiros, ou na solidão que elegeram como terapia de reeducação. Tudo, porém, são testes de aprendizagem e oportunidades de crescimento interior. Não havendo instrumentos de avaliação, dificilmente se podem aquilatar as condições espirituais dos mesmos. Nesses momentos, a oração repassada de unção, a caridade em toda e qualquer expressão, a leitura edificante, a conversação salutar constituirão recursos preciosos para a manutenção do equilíbrio e para auxiliar os perturbados-perturbadores no seu processo de recomposição moral.

Silenciou o amigo dos sofredores e olhou em derredor. A algazarra continuava, a festa da crueldade fazia-se delirante para os infelizes que estorcegavam na luxúria e no despudor, enquanto os vapores fétidos e morbosos das suas emanações empestavam o ar em volta da nobre Sociedade.

Após algumas reflexões, o sábio amigo concluiu:

– *De alguma forma, todos vivemos momentos de loucura e de perversidade, enquanto deambulando pelas faixas mais primitivas do processo da evolução, quando predominam em a nossa natureza os instintos, comprometendo-nos por largo período, até o momento que, despertando na razão, iniciamos o nosso processo autoiluminativo. Chegará também o dia para os nossos companheiros de luta, que se encontram na retaguarda, e não tardará muito para que tal aconteça. Como vimos, já se iniciaram os expurgos da região infeliz. Logo mais eles estarão na Terra, repetindo as experiências exaustivas da promiscuidade sexual até o momento quando o excesso os levará ao cansaço, ao tédio, ao sofrimento e eles despertarão para os valores reais do Espírito imortal. O império da sombra lentamente está sendo desmantelado pela luz da verdade que anuncia Era Nova para a Humanidade, que não suporta mais o peso dos sofrimentos e da falta de paz interior, abrindo-se para novas pesquisas e experiências na busca de Deus.*

Alegremo-nos, sobremaneira, por fazermos parte daquelas legiões de servidores de Jesus que estão dando início ao programa que Ele elaborou para o Seu planeta. Quanto àqueles companheiros que ficarão, por enquanto, na retaguarda, corações afetuosos que os seguem de Mais-alto virão buscá-los, como ocorreu com nossa dona Martina e Mauro, com dona Marie-Eléonore e o Marquês de Sade, e a todo momento se incorporam aos grupos de socorro nas trevas, a fim de libertarem os seres amados, que permanecem embriagados de paixões ou perdidos na noite de si mesmos. Simultaneamente, considerando que O Consolador prometido já se encontra na Terra, o querido planeta terá como suportar a carga de responsabilidades dolorosas que lhe cumprirá viver, ajudando a todos na viagem de ascensão. De nossa parte, façamos o melhor que esteja ao nosso alcance, certos de que virão reforços de paz e de luz para o trabalho.

Naquele momento, chegavam as pessoas que faziam parte das atividades doutrinárias da Casa, na condição de ouvintes das palestras educativas. Da mesma forma, os vários departamentos de assistência espiritual se encontravam funcionando, com os lidadores do atendimento fraterno, os passistas, os evangelizadores espíritas que, naquela ocasião, realizavam uma reunião para futura reciclagem de programas, enfim, os serviços habituais não haviam sofrido qualquer solução de continuidade. Observei, porém, que eles atravessavam a psicosfera densa como se fosse uma muralha móvel em torno das fronteiras da Instituição, e logo a rompiam pelas entradas de acesso, já que as energias providenciais que foram trazidas pelas legiões convocadas pela mentora conseguiram deixá-las como espaço livre e sem contaminação. Igualmente notei que alguns desses Espíritos recém-chegados assessoravam alguns enfermos mediúnicos, cujos obsessores não conseguiam atravessar as defesas magnéticas colocadas nas vias de acesso. Pessoas outras portadoras de desequilíbrios emocionais, orgânicos e alguns jovens dependentes de substâncias químicas eram amparados desde a parte externa até o amplo salão ou os setores variados para onde se dirigiam.

Não havia qualquer dúvida que, se os Espíritos perversos se organizam para o trabalho de crueldade, o bem perseverante está-lhes muito adiante, prevendo as ocorrências e apresentando soluções que, inclusive, objetivam resgatá-los da situação inditosa em que permanecem.

O irmão Anacleto, na sua condição de excelente psicólogo, acompanhou a minha observação e captou os meus raciocínios, adindo:

— *Eu nunca vos deixarei a sós!* — disse Jesus. — *E o que vemos em toda parte é a confirmação da Sua promessa. Através dos Seus prepostos Ele sempre está conosco, em suave convívio e oferecendo-nos salutares advertências. Agora entremos, pois que teremos a reunião doutrinária, que precederá ao encerramento das nossas atuais atividades neste núcleo de amor e educação.*

O labor da noite, no salão repleto de assistentes encarnados e desencarnados, se circunscreveria a uma exposição doutrinária. O orador destacado seria o médium Ricardo, cuja palavra rica de conceitos edificantes e de lirismo em torno do pensamento espírita, sempre atraía muitos interessados, que se comoviam com as mensagens doutrinárias de que se fazia instrumento. Naquela ocasião, especialmente reservada pela mentora para instruções em torno dos futuros acontecimentos, a sala estava iluminada por energias siderais. A psicosfera, saturada de energias balsâmicas, desintoxicava os assistentes dos fluidos deletérios a que se haviam acostumado e que os enfermavam. Espíritos dedicados ao socorro espiritual igualmente ofereciam apoio emocional e terapêutico aos que experimentavam *parasitose* obsessiva. Pude observar que alguns desses enfermos eram vítimas de hipnose profunda, que lhes bloqueava o discernimento e a compreensão dos ensinamentos que eram ministrados. O intercâmbio entre os dois planos da vida ali se fazia pulsante com preponderância do espiritual sobre o humano. À medida que as pessoas se acomodavam, suave melodia se exteriorizava dos alto-falantes criando um ambiente de relaxamento e de bem-estar. Agitados uns, como decorrência dos labores a que se afeiçoavam, chegavam cansados, outros irritados, diversos ansiosos, muitos deprimidos, mas adentrando-se no recinto impregnado de forças reparadoras e curativas experimentavam, de imediato, compreensível refazimento. Mesmo aqueles que desconheciam os ensinamentos espíritas e eram visitantes de primeira vez, não se podiam furtar às vibrações agradáveis que os penetravam, modificando-os interiormente.

Porque a pontualidade fosse uma das características da Instituição, em respeito aos valores do tempo e aos compromissos das pessoas, bem como em consideração aos elevados misteres dos guias espirituais, o médium Ricardo e dois convidados assomaram à mesa diretora e prepararam-se para iniciar o cometimento relevante.

Lá fora continuavam a algaravia dos infelizes e o ensurdecedor ressoar de tambores e de instrumentos que produzia sons metálicos perturbadores.

Quando foram ligados os microfones para a transmissão interna do estudo da noite, observei que um trabalhador espiritual colocou também um equipamento espiritual sobre a mesa e pude perceber que se tratava de um transmissor de vídeo, algo sofisticado para os padrões da época. Sem entender a que se destinava, acerquei-me do amigo Dilermando e falei-lhe sobre a providência, sendo esclarecido que havia sido instalado um serviço de projeção para as dependências externas, objetivando-se alcançar a malta que rebolcava no desvairado sítio à Instituição. Labores dessa ordem eram ali já habituais, sendo que, na oportunidade, foram ampliados os sistemas de transmissão de forma que pudessem superar a barulheira infernal.

As luzes foram diminuídas e o silêncio fez-se espontaneamente, gerando uma discreta ansiedade em todos.

Ricardo solicitou a um dos convidados que fizesse a oração inicial, com que sempre se propicia a abertura de qualquer atividade, em respeito ao Senhor da Vida e ao Incomparável Messias Nazareno.

O visitante, com muita naturalidade, exorou o auxílio dos Céus, e com palavras simples, que bem traduziam os seus sentimentos elevados, procurou expressar o anseio de todos e apresentar as necessidades de iluminação e de paz.

Terminada a prece, vi a veneranda mentora Clara de Jesus acercar-se do médium e envolvê-lo em sucessivas ondas de ternura, cujas vibrações alcançavam-lhe os *chakras coronário, cerebral* e *laríngeo* que, imediatamente, passaram a exteriorizar coloração mui específica.

Os assistentes, acostumados às suas edificantes mensagens, tomados de peculiar satisfação que decorria da afeição que vigia entre eles e o devotado trabalhador da Causa de Jesus na Terra, ficaram receptivos ao conteúdo do verbo libertador.

Notei que diversas Entidades enfermas que se haviam adentrado no recinto acalmaram-se, e outras que se faziam cobradoras dos seus antigos desafetos foram discretamente induzidas a sintonizar na faixa do pensamento dominante, capazes de ouvir as palavras do expositor.

Havia sido realizado todo um trabalho cuidadoso de preparação do ambiente, e equipes, habilmente programadas para o mister, laboravam continuamente, a fim de que tudo transcorresse conforme estabelecido pela mentora espiritual.

23
CONVITES À REFLEXÃO E AO TESTEMUNHO

A viagem de iluminação interior se alonga por um grande percurso, que deve ser vencido com sacrifício e vontade bem direcionada.

Qualquer tentame de crescimento pessoal é sempre o resultado do querer de cada Espírito com a contribuição do realizar com denodo, sem o que torna-se inexequível o progresso. É, portanto, compreensível que nos ideais de engrandecimento moral e espiritual das criaturas humanas enfrentem-se lutas acerbas e obstáculos aparentemente intransponíveis.

Jesus, o *Espírito mais perfeito que Deus nos ofereceu como Modelo e Guia,* não se eximiu aos testemunhos nem às dores, a fim de ensinar-nos que, se assim procediam em relação a Ele, o *ramo verde* da árvore da Vida, que não se faria ao *galho seco* e quase inútil, que somos nós?!

Desse modo, é sempre medida de bom-tom e de equilíbrio precatar-se todo aquele que aspira a alcançar patamares espirituais mais elevados, contra as próprias imperfeições e o mal que nele mesmo existe, responsável pelo acoplamento dos *plugs* de que são portadores os *hóspedes* indesejáveis e perturbadores, encarregados de gerar obsessões.

No clima psíquico de harmonia e expectativa, pois, a que nos referimos em página anterior, o médium-orador deu início à palestra que deveria proferir sob a telementalização da preclara madre Clara de Jesus.

– *Queridos irmãos no ideal espírita* – iniciou o médium com doce vibração.

– *Paz seja conosco!*

Alargam-se os horizontes do serviço de iluminação de consciências, a que fomos chamados pela Doutrina Espírita, que liberta o ser humano das algemas da ignorância e da perversidade. As suas propostas edificantes enriquecem as criaturas com a esperança de felicidade próxima e oportunidades de construção do bem em toda parte. Transforma-se a paisagem terrestre ante as perspectivas que se abrem, ampliando o discernimento de todos e a sua faculdade de pensar. Como consequência, caem as muralhas do servilismo e do medo, enquanto a coragem da fé racional dignifica e estimula ao cumprimento dos deveres elevados todos aqueles que se deixam penetrar pelos seus incomparáveis ensinamentos.

Programado para renovar a Terra e oferecer os elementos da lógica e da experimentação, que faltam a todas as religiões, o Espiritismo, neste momento, é o cumprimento da promessa de Jesus, em torno de O Consolador *que Ele enviaria aos Seus discípulos, de forma que pudessem ser recordadas Suas lições, que seriam esquecidas, conforme aconteceu, e ditas coisas novas que (então) não se podiam suportar, e que tem cabido à Ciência desvendar-lhes os conteúdos profundos, qual vem sucedendo.*

Sem alarde nem utilização de artifícios mentirosos, o Espiritismo implanta-se com vigor nas mentes e nos corações, favorecendo a Humanidade com o archote luminoso da verdade que dilui as sombras que vêm predominando no orbe terrestre, gerando loucuras e destruição.

Graças à sua lógica robusta e aos fatos que demonstram a imortalidade da alma, sua comunicação com os homens e a justiça das reencarnações convence, comove e arrebata as pessoas sinceramente interessadas na compreensão dos fenômenos da vida e na interpretação dos enigmas que se vêm arrastando, sem explicação, através dos milênios, nos campos da Filosofia, da Psicologia, da cultura em geral...

Em face dos seus ensinamentos lúcidos, o homem deixa de ser o herdeiro do pecado de Adão e Eva, ou o Lúcifer das tradições judaico-cristãs do passado. Através da revelação dos Espíritos, o processo de evolução é muito mais complexo do que apresentado no arquétipo bíblico, resultando no avanço antropossociopsicológico, etapa a etapa, pelos incontáveis mecanismos da vida até atingir a sua Humanidade atual, etapa que o prepara para seguir no rumo do Infinito.

Diante dele encontram-se as complexas possibilidades de conquistas incomparáveis, em si mesmo e no mundo externo onde se encontra, de modo a alcançar as metas da felicidade que o aguarda, e da plenitude a que está destinado.

Portador do sublime fanal de erradicar da Terra o mal que nela predomina, porque os Espíritos que aqui nos encontramos reencarnados, salvadas algumas exceções, ainda somos primitivos e ignorantes, vítimas do egoísmo e das paixões mais grosseiras, estamos convocados ao esforço de transformação pessoal para melhor, modificando impulsos que se tornam sentimentos e estes emoções elevadas que nos conduzirão às intuições de que desfrutaremos como seres noéticos que iremos *ser. Todavia, para alcançarmos esse sublime objetivo, quantas lutas e entraves teremos que vencer?!*

Porque se encontrem em vigor o domínio da astúcia e da crueldade, o poder da força e dos expedientes da traição, que geram amargura e desdita, o Espiritismo, na sua condição de adversário natural do materialismo, constitui-lhe grave ameaça que deve ser combatida com denodo e sem cessar.

Em perfeita vinculação com a Erraticidade inferior, essas mentes que se refestelam na grandeza ilusória e esses sentimentos que se nutrem dos vapores mefíticos das Entidades odientas que os dominam, diante dos avanços do pensamento espírita armam-se de violência e de maldade para tentar impedir que se consuma o objetivo da renovação do planeta, fadado a alcançar o nível de mundo de regeneração.

Os Espíritos desditosos e falsamente felizes, que se comprazem no campeonato da insensatez e no intercâmbio contínuo com aqueles que lhes são afins, temem as conquistas da Doutrina Espírita e levantam-se agora para o grande enfrentamento, no qual esperam o triunfo, em razão dos instrumentos de combate com que se equipam para a batalha que já deflagraram. Planos escusos e métodos arbitrários vêm sendo colocados em prática, objetivando aqueles que se entregaram à causa do bem e se tornaram seguidores do Mestre de Nazaré, a Quem eles detestam e buscam vencer, nas suas alucinadas programações de doentias perseguições. Tem sido assim através da História essa luta que resultou na adulteração, interpolação e alteração das palavras de Jesus, na criação de rituais e hierarquias humanas, em guerras lamentáveis que foram declaradas em Seu nome, predominando a arrogância e o despudor que os caracterizavam, de forma que a Sua Mensagem chegou até os nossos dias profundamente alterada e os Seus exemplos suspeitos de legitimidade, como decorrência daqueles que se disseram seus herdeiros históricos... Interferindo psiquicamente nos bastiões da fé tradicional, deturparam-na, afastando-a das raízes em que pareciam fincar-se, constituindo-se uma doutrina mais humana que divina, com objetivos mais terrestres que espirituais...

De outras vezes, reencarnando-se em massa e adotando a crença religiosa tradicional, que envergonharam e degradaram mediante conduta obscena e vulgar, agressiva e anárquica, deixaram marcas de decadência e despudor que ferem os princípios éticos em que se assentam as verdadeiras construções da dignidade e do progresso humano.

Na atualidade, em decorrência de a mensagem provir do Mundo espiritual, e não dos homens, não possuindo depositários terrestres infalíveis e sendo examinada pela sua linguagem universal, jamais pelo despautério de arrogantes e presunçosos líderes que gostariam de ser reconhecidos como os seus representantes, a luta é mais cruel, porque mais sórdida, de maneira sutil, mas também frontal, de forma que os trabalhadores abnegados não tenham alternativa senão a opção pela perseverança no dever e pelo prosseguimento na ação libertadora.

O orador fez uma pausa muito oportuna, para a renovação do interesse dos ouvintes.

O auditório vibrava de emoção acompanhando o raciocínio do expositor. Os Espíritos desencarnados, mesmo o grande número de turbulentos e infelizes que foram recambiados e recebiam assistência conveniente, deixavam-se magnetizar pelo conteúdo da mensagem e experimentavam as vibrações das palavras impregnadas de segurança e de reflexões sábias. A mentora da Casa, visivelmente concentrada e conduzindo o pensamento do seu médium, estava resplandecente em razão da sua vinculação com Esferas mais elevadas.

Logo após, no mesmo ritmo, o orador prosseguiu:

– *Ante a total impossibilidade de adulterar-se os excelentes conteúdos da Doutrina Espírita, não faltam em muitos indivíduos presunção e prosápia para informações incorretas, assacando acusações de que ela se encontra superada ante as conquistas do pensamento contemporâneo, em lastimável desconhecimento dos seus postulados que vêm sendo confirmados pelas ciências, demonstrando a sua superior qualidade filosófico-científica a par dos relevantes ensinamentos ético-morais e religiosos. Outras tentativas vêm sendo feitas, mediante pretensiosas anexações de ideias ou postulados pseudocientíficos, que a estariam completando, ou ainda pela diversificação de pensadores e praticantes, que dariam margem ao surgimento de correntes personalistas, à maneira de Fulano ou Beltrano. Simultaneamente, não cessam as tentativas de desfigurá-lo, retirando-lhe a feição religiosa que o vincula a Jesus, no qual se haurem a esperança e a paz que constituem elementos basilares para a felicidade. Olvidam-se, todos esses insensatos, que somente existe um Espiritismo, e que ele é aquele que se encontra exarado na Codificação, nas Obras complementares e na Revista Espírita, enquanto a dirigiu e editou o insigne mestre Allan Kardec.*

Essas investidas, porém, normalmente não encontram amparo no pensamento espírita, e após o brilho momentâneo do entusiasmo dos seus criadores e adeptos fascinados, cedem lugar a novas propostas, qual ocorre em outras áreas da cultura humana. E o Espiritismo avança conquistando as criaturas para as suas hostes, tornando-as lúcidas, trabalhadoras do bem e cumpridoras do dever, avançando na aquisição da felicidade.

Há, igualmente, outra forma de investida contra a mensagem e os seus obreiros, que não tem sido deixada à margem pelas falanges do mal. Inspirando esses grupos referidos, voltam-se, sobretudo, contra os espíritas sinceros e operosos, que lhes constituem barreira à sementeira da perversidade e da luxúria, do desequilíbrio e da perversão, do ódio e dos seus sequazes. Em todas as épocas da Humanidade, os idealistas verdadeiros, os heróis, os santos, os mártires, os cientistas e pensadores sofreram-lhes a perseguição, experimentaram-lhes a refrega, que culminava com o seu martírio, o afastamento das nobres lides a que se dedicavam. Agora reinvestem com vigor, considerando o desenvolvimento da Doutrina de amor e de libertação, desejosos de erradicá-la da Terra, mediante o combate aos seus adeptos. Armadilhas soezes, instrumentos cruéis, técnicas refinadas, aparatos complexos são utilizados para vencê-los, atraindo-os e dizimando-os nos seus propósitos mais sadios, ou vencendo-os com as suas sortidas infelizes, mediante intercâmbio doentio e obsessivo, para os desanimar ou perverter.

Utilizando-se das próprias falhas do caráter de cada um, das suas dificuldades morais, dos conflitos e das heranças da conduta pregressa, estimulam-nos ao retorno às paixões, intensificando o cerco e atirando-lhes pessoas desequilibradas, que passam a aturdi-los com os seus apelos vis, a sua psicosfera mórbida, a sua presença desagradável e tóxica. Infelizmente, não têm sido poucos aqueles que se vêm comprometendo com os distúrbios que se permitem, para logo tombarem no remorso, no despertamento tardio e de consequências nefastas. Todo cuidado, pois, é pouco, exigindo maior vigilância dos sinceros obreiros da Era Nova, que se devem revestir de paciência e de coragem para enfrentar os desafios perversos que se apresentam, dourados uns, afligentes outros, sempre com a mesma finalidade de distraí-los e afastá-los das fileiras do dever. Qualquer comprometimento negativo, na conjuntura, significa ameaça à reencarnação que marcha exitosa e pode periclitar nos seus resultados, em face da aceitação desses programas de desvirtuamento dos propósitos abraçados.

Discussões inoperantes, rixas e impertinências, queixas e intrigas, maledicências soezes e calúnias bem elaboradas, vinganças covardes e mentiras que surgem da fantasia dos mais sonhadores e frívolos, são recursos utilizados pelos técnicos das legiões das trevas, *aplicados nos núcleos humanos e, especialmente, nas Entidades da Fé libertadora. Mais do que nunca se fazem necessários a compreensão fraternal, a solidariedade dignificadora, o trabalho de renovação interior, o concurso do perdão e da compreensão das falhas do próximo, a necessidade da oração e da paciência. Trata-se de uma guerra, cujas batalhas esses Espíritos pretendem vencer, uma a uma até o momento final. Olvidam-se, porém, que uma ou outra luta conquistada, não consegue dar-lhes a palma da vitória, porque, por outro lado, Jesus vela, e as Entidades nobres, os guias espirituais da Terra e dos seus filhos encontram-se vigilantes e operando também. Se ocorrem deslizes e delitos, quedas e defecções, é porque aqueles que incidem ou repetem os erros, distraem-se, não valorizando os deveres conforme lhes compete. Como não há violência na governança do amor, todos têm o direito de utilizar-se do livre-arbítrio, até mesmo para comprometer-se, mas terão ensejo de reparar, recomeçar e libertar-se.*

Novamente o expositor, que se apresentava pálido e mediunizado, silenciou, a fim de permitir que as palavras ressoassem na acústica das almas e ficassem registradas com segurança, dando prosseguimento:

– Nossa Instituição vem hospedando nobres Espíritos dedicados à terapia em torno dos problemas espirituais do sexo e da obsessão através das forças genésicas, e eles vêm conseguindo desbaratar uma organização no Além-túmulo dedicada à degradação e à obscenidade, na qual se homiziam centenas de milhares de seres enlouquecidos pelas arbitrárias condutas morais, que se vêm refletindo no comportamento humano. Outrossim, estão trazendo à reencarnação alguns daqueles que se tornaram líderes e vítimas das situações mais lamentáveis, ao mesmo tempo que um grande número de atormentados irá volver ao proscênio terreno com as marcas do vício e dos desplantes íntimos, que espocarão no futuro na conduta da nova geração, que se dedicará ao culto do corpo e do sexo, em desprezo às demais faculdades orgânicas e mensagens da vida. No momento, dá-se uma reação em cadeia na área espiritual inferior em que se encontram os chefes que, sentindo-se prejudicados, tomaram providências para vingar-se, atacando-nos a todos de forma cruenta, tramando planos de destruição do nosso trabalho e interrupção das nossas tarefas. Não serão medidos esforços para conseguirem os resultados que esperam, competindo-nos advertir a todos, convidando os corações amigos à reflexão, à prece, à paz.

Com certeza somente nos sucede aquilo que merecemos ou que é de melhor para o nosso crescimento espiritual. Como ignoramos a própria fragilidade e os débitos que nos assinalam o passado espiritual, mesmo sob a tutela dos Anjos da caridade e do amor, que são os nossos benfeitores espirituais, poderemos deixar-nos seduzir pelos ardis e provocações colocados em pauta. Em razão da predominância da natureza animal sobre a natureza espiritual, tornamo-nos alvos de fácil alcance para as flechas da sua maldade, que certamente nos atingirão e poderão levar-nos ao fracasso. Somente conseguiremos o êxito dos nossos compromissos se permanecermos unidos, se dialogarmos quando algo não estiver correspondendo à expectativa, se discutirmos nossos propósitos, se nos ampararmos uns nos outros, se conseguirmos desculpar-nos sinceramente e distendermos mãos amigas, porque uma vara só é fácil de ser arrebentada, não, porém, um feixe delas, conforme nos disse Jesus.

Teremos momentos de muitas dificuldades e de dores morais que estão inscritos em nossos mapas reencarnacionistas como recurso para o nosso equilíbrio e em favor da nossa transformação moral para melhor, se soubermos bem administrar as ocorrências desagradáveis e angustiantes. Simultaneamente também, experimentaremos a ufania e o êxtase, toda vez que nos vencermos, que superarmos os impulsos do mal, que ultrapassarmos as barreiras da dificuldade e que nos dispusermos a socorrer e construir o bem em toda parte, não obstante as lutas renhidas. Enquanto nos encontramos no corpo físico somos viajantes em perigo. A vitória somente poderá ser considerada após conquistado todo o percurso e chegarmos à meta para onde nos dirigimos.

Assim, não estranhemos problemas nem testemunhos, antes enfrentemo-los alegres pela honra de estarmos a serviço de Jesus no mundo, construindo a Era Melhor do Espírito Imortal.

Os nossos resgates são impostergáveis. Desse modo, rejubilemo-nos pela oportunidade de nos reabilitarmos através da ação benéfica, em vez de ser por meio de enfermidades dilaceradoras ou degenerativas, que nos poderiam reter no leito em processo de recuperação necessária. Mediante o amor e a caridade, o auxílio mútuo e o trabalho em favor do progresso, desalgemar-nos-emos do ontem escravizador e avançaremos com pés ligeiros em direção ao futuro abençoado.

Nunca temamos! Jesus está no comando e espera apenas que Lhe sejamos dóceis à voz, atendendo-Lhe ao chamado, que nos chega por intermédio dos Seus elevados mensageiros espirituais. Confiantes no triunfo que nos espera, demo-nos as mãos, continuemos no labor que nos dignifica e que dá sentido às nossas existências corporais.

"Brilhe a vossa luz" – propôs-nos o Mestre. – *Acendamos a claridade do amor incondicional em nosso mundo íntimo e deixemos que brilhe a luz da misericórdia em toda parte, irradiando-se de nós como bênção da vida em favor de todas as vidas.*

Que o Senhor da Vida a todos nos abençoe!

Um suave perfume de rosas em sucessivas ondas invadiu o salão, sendo percebido pelos presentes de ambos os planos, que se encontravam emocionados, reconhecidos a Deus.

De imediato, foi proferida a prece de encerramento das atividades da noite, dando-se continuidade aos labores de atendimento fraterno, de conversação edificante, de instruções aos novatos que ali foram pela primeira vez.

Mirífica luz se expandia do salão, exteriorizando-se pelas paredes, que não lhe constituíam impedimento, enquanto suave melodia dulçorosa e repousante enchia o ar.

Magnetizadas pela palavra edificante e tocadas nas responsabilidades, as pessoas presentes começaram a afastar-se buscando os lares, sem ocultarem o júbilo e a esperança. As lutas poderiam ser cruas, mas as resistências estariam fortalecidas pelas vibrações que procedem de Deus, permitindo que todos pudessem usufruir da felicidade inaudita do crescimento interior com os olhos postos no futuro espiritual de plenitude.

24
Despedidas

Madre Clara de Jesus não ocultava a satisfação ante o efeito da conferência de esclarecimento e o convite aos membros da Instituição que dirigia, em face da necessidade de cumprimento do dever e da responsabilidade que lhes dizia respeito.

Acompanhamos o médium Ricardo, que agora se iria dedicar ao diálogo com as pessoas selecionadas pelo Atendimento Fraterno, para o esclarecimento e o socorro de que necessitavam.

Embora houvesse proferido uma conferência sob a direção da mentora, não apresentava qualquer sinal de cansaço físico ou mental, antes, pelo contrário, estava com imensa disposição íntima de servir e de atender os nautas que tombaram na travessia das ondas do encapelado *oceano* da existência ou que se encontravam em grave situação de risco. O sorriso jovial ornava-lhe os lábios e todo ele irradiava simpatia e bondade.

Assim se deve atender às criaturas necessitadas, necessitados que, de alguma forma, somos todos nós ante os Celeiros de Bênçãos da Divindade.

A movimentação na Casa era grande, particularmente por Entidades espirituais, à medida que diminuía a presença das pessoas físicas, que retornaram ao ninho doméstico, exceção feita aos que continuavam no labor.

Irmão Anacleto, que nos acompanhara à sala de atendimento espiritual em que se encontrava Ricardo, deu-me um sinal para que voltássemos ao recinto onde se procediam aos experimentos mediúnicos e que nos servira de laboratório para o programa que nos trouxera à Terra.

Informou-nos que, logo mais, deveriam ser encerrados os labores pertinentes ao programa de assistência ao padre Mauro, e que desencadeara todo o processo de atendimento a outros Espíritos que se lhe vinculavam.

Esclareceu-nos que aguardaria o encerramento total das atividades humanas na Instituição que nos albergava, a fim de estarem presentes o médium Ricardo e outros amigos que participaram dos labores abençoados, agora em fase final, enquanto o futuro se encarregaria de dar curso ao desdobramento das ações iluminativas a que todos se vinculavam.

Permaneci com Dilermando, o companheiro discreto e quase silencioso que viera conosco, que também se encontrava emocionado ante as ocorrências felizes de que participara.

E enquanto aguardávamos o momento próprio para as despedidas e o encerramento do labor, resolvemos considerar o problema das perseguições que procedem de ambos os lados da vida contra os espíritas.

– *Penso de maneira segura* – informou-me o amigo – *que inúmeros espíritas atuais são muitos dos cristãos de ontem que se emaranharam em cipoais de desequilíbrio e de malver-*

sação de valores morais. Convidados ao Cristianismo através dos tempos, deixaram-se consumir pelas perplexidades e destrambelhos emocionais, resultantes dos instintos e do estado de primarismo em que ainda se encontravam. Assumiram compromissos com a Mensagem de Jesus e, ao invés de utilizá-la para dignificar as criaturas, tomaram-na como mecanismo de autopromoção e de vitória sobre os outros, criando situações muito embaraçosas para si mesmos. Não poucos buscaram os monastérios, conventos e o sacerdócio para melhor servirem, e, atormentados, estabeleceram critérios infelizes e leis arbitrárias para usurpar o poder temporal, que deixaram quando o corpo sucumbiu. Assumiram paróquias e ordens, instituições e entidades nas quais se consideravam inatingíveis, mas a morte não os poupou, arrebatando-os iludidos e enfermos, para posterior despertar no Mundo espiritual em estado lastimável... Por nimiedade do Amor de Jesus, foram recambiados ao corpo, com oportunidade de reencontrar a Mensagem que defraudaram, agora renovadora e lógica, a fim de se recuperarem dos gravames e servirem com abnegação, conseguindo a paz que atiraram fora.

Ainda equivocados, vivendo o ressumar de memórias do passado, após o deslumbramento inicial com a lição espírita que buscaram assimilar, vêm tentando repetir os mesmos descalabros do pretérito, encarcerando-a em fórmulas e em métodos pessoais, a fim de se manterem acima dos demais, ou fazem-se intolerantes, exigentes, críticos contumazes uns dos outros, tornando-se, nas sociedades espíritas que dirigem, verdadeiros e arbitrários donos das instituições, que pretendem sobrepor às demais, como ocorreu nas antigas paróquias em que se comprometeram...

Inevitavelmente, aqueles que lhes foram vítimas e que os não perdoaram inspiram-nos à repetição da insensatez, tentam afastá-los do culto do dever, e quando são abnegados, insistindo no bem proceder e no desincumbir-se com fidelidade dos compromissos, agridem-nos, perseguem-nos, tentam obsidiá-los, gerando clima insustentável à sua volta.

Aquietou-se um pouco, repassou o olhar pela sala onde já se encontravam alguns convidados do irmão Anacleto e prosseguiu:

– *Não me cabe julgamento pejorativo ou depreciativo, mas uma análise em torno do que venho observando em determinados arraiais do Movimento Espírita, quando alguns amigos que deveriam pautar a conduta pela cordura e bondade, pelo devotamento e pela fraternidade, se afastam dessas diretrizes para se tornarem verdadeiros déspotas em relação àqueles que exigem se lhes submetam, ou opinam com ênfase de* donos da verdade, *exigindo sempre direitos e licenças que negam aos demais. São intolerantes em excesso, acusadores impiedosos, maledicentes contumazes e vivem sempre atormentados pelo mau humor, nesse estado emocional, não obstante divulgando a Doutrina da felicidade e da alegria de viver. É paradoxal que assim se comportem.*

Não é, portanto, de estranhar que estejam sempre assessorados espiritualmente por Entidades vulgares – pois que se recusam ao conforto da oração, que consideram equipamento dispensável –, perversas umas e vingadoras outras, com as quais sintonizam – já que não participam das atividades mediúnicas, que consideram ultrapassadas, e quando o fazem estão ainda buscando o que denominam como fatos de laboratório –, tornando-se títeres das suas manobras infelizes.

Normalmente, compadeço-me desses companheiros que permanecem equivocados, divulgando as notícias do Mundo espiritual, em que parecem não acreditar, já que se comportam de maneira inadequada em torno da imortalidade da alma e da justiça das reencarnações. É como se ignorassem que irão despertar com o patrimônio acumulado e as conquistas realizadas, não se podendo furtar à presença da consciência que, então desperta, apresentará os fatos de maneira vigorosa, exigindo reparação, nesse momento impossível, abrindo espaço para a consciência de culpa, suplicando retorno à Terra imediatamente, o que já não será tão fácil de conseguir... Invariavelmente oro por esses amigos e confrades, tentando, não poucas vezes, despertá-los para a realidade que o Espiritismo lhes apresenta e convidando-os à renovação íntima, à humildade, à caridade, à misericórdia em relação ao seu próximo. A desencarnação desses irmãos é sempre dolorosa, porque, em muitas ocasiões, dão-se conta da ocorrência e gostariam de mudar, não havendo mais tempo para consegui-lo.

Que lhe parece?

Convidado diretamente ao assunto, não tergiversei em anuir ao pensamento do querido amigo, dizendo-lhe:

– Não há muito, publicamos um livro[6] abordando um tema equivalente, em torno da desencarnação de alguns espíritas que não estavam preparados para o retorno.

O conhecimento do Espiritismo aumenta a responsabilidade do indivíduo, porque lhe dá instrumentos hábeis para a transformação íntima para melhor, demonstrando-lhe a continuidade da vida após a morte física e os resultados que advêm

---

6. FRANCO, Divaldo Pereira. *Tormentos da obsessão*. Pelo Espírito Manoel Philomeno de Miranda. 1. ed. Salvador: LEAL, 2001 (nota da Editora).

da conduta mantida antes da desencarnação. Dessa maneira, a Doutrina tem por meta libertar o ser humano da ignorância e do mal, abrindo espaços para a instalação do bem e do conhecimento que felicita, ao tempo que impulsiona à ação dignificadora, através da qual é possível a paz com a própria consciência. Não basta saber, torna-se imprescindível aplicar de maneira útil o conhecimento que possa auxiliar o próprio como o progresso da sociedade.

Reflexionei um pouco, arrematando ideias, e continuei:

– Também penso que a maioria de nós, os espíritas, encarnados ou desencarnados, transitamos tanto pela Igreja de Roma como por aquelas que se originaram na Reforma Luterana, nas quais deveríamos dignificar a mensagem de Jesus, havendo agido de maneira totalmente contrária. Utilizamo--nos da expansão da fé católica, assim como da protestante, para impor as nossas paixões pessoais e perseguir aqueles que tinham o direito e a liberdade de pensar diferente, acusando-os de hereges ou de adversários da fé, apenas para conseguirmos mais poder, que o túmulo consumiu. Não pequeno número de Espíritos, pelo contrário, ali encontraram a oportunidade de crescimento e de iluminação, deixando marcas sublimes na História, vivendo incomparáveis lições de beleza, renúncia e amor, com que conquistaram a Humanidade. Aqueles que tombaram nos delitos foram vítimas de si mesmos, das suas arbitrárias posturas e falácias que nos enovelaram ao despotismo e à loucura que projetaram para o seu futuro espiritual efeitos dolorosos que hoje carpimos e sofremos, embora desejando realmente servir e acertar.

Acredito, também, que os companheiros mais empedernidos e exigentes, ainda enganados quanto à função do Espi-

ritismo, que tem por meta prioritária iluminar aquele que lhe adere às proposituras, antes que cuidar de salvar os outros, são fracassados religiosos que se destacaram na cúria ou na paróquia, no templo de fé que dirigiram e retornam com a ilusão de que ainda se encontram dominando essas jurisdições. Somente o tempo, esse trabalhador infatigável, para fazê-los despertar sob os camartelos do sofrimento purificador que a todos nos alcança.

Merecendo-nos, todos eles, o melhor carinho e respeito, apenas lamentamos o fato de não se estarem beneficiando realmente da Doutrina Espírita, que é o Sol da Nova Era. Bem-aventurado, portanto, todo aquele que, tomando da charrua não olha para trás, conforme o ensinamento do Mestre. Envolvamo-los, a todos, em paz e confiança em Deus, aguardando o momento do despertar de cada um, qual ocorreu com nós mesmos, agora conscientes das responsabilidades que abraçamos em lúcido aproveitamento do tempo que urge.

No silêncio, que se fez natural, comecei a repassar mentalmente a recente experiência terrena, quando, militando no Movimento Espírita, pude vivenciar as observações apresentadas pelo caro Dilermando. Aqueles eram dias heroicos, que denomino os dias das catacumbas, *quando a adoção da Doutrina constituía um verdadeiro desafio às denominadas regras da sociedade, devendo-se pagar um alto preço de renúncia, de silêncio e de abnegação... Mesmo naqueles já distantes dias, em número reduzido que éramos, em vez de uma legítima união grassava entre nós o escalracho destruidor e perigoso, as suspeitas e acusações infundadas, exigindo serenidade e amor em relação aos irmãos invigilantes. É o ônus que o ser humano paga pela honra de abraçar ideais de enobrecimento e de dignificação espiritual.*

Hoje, mudaram, sim, os tempos, sob um aspecto, já não se sofrendo pública discriminação nem perseguição ostensiva, quando se abraça o Espiritismo, no entanto, prosseguem os mesmos desafios, e torna-se indispensável a contribuição do testemunho, da fidelidade, por parte daqueles que, tocados pelo Espírito do Cristo e fascinados pela Mensagem Espírita, adotam a fé racional e pura que os comove e arrebata.

Ainda, durante muito tempo, serão necessários os exemplos de coragem e de abnegação em todos os segmentos sociais e áreas do pensamento, por parte dos heróis e dos idealistas, para que as mensagens nobres se implantem nos corações humanos e transformem a sociedade que necessita de diretriz e de segurança para alcançar o objetivo da harmonia e do equilíbrio, da justiça e da paz.

As horas haviam-se passado com celeridade, e quase não me dera conta, em face do mergulho nas reflexões íntimas.

Fui despertado para a realidade, quando o irmão Anacleto esclareceu que ali estavam alguns dos membros do projeto a que nos afeiçoáramos nos últimos dias, tornando-se necessária a adoção de medidas finais para o cometimento.

Madre Clara de Jesus trouxera o médium Ricardo, mediante o parcial desprendimento do corpo físico; Dona Martina se apresentava com o filho, exteriorizando grande alegria, enquanto o jovem padre Mauro expressava confiança em Deus, com o semblante asserenado após as tempestades que sofrera; também se encontravam o amigo Felipe e a nossa caravana.

Pairavam no ar doces harmonias e expectativas de paz. O irmão Anacleto tomou a palavra, e, sinceramente emocionado, agradeceu à veneranda mentora da instituição que nos servira de ninho de repouso e de oficina de trabalho. Suas palavras eram ungidas de vibrações de reconhecimento que nos tocavam profundamente o coração. A nobre Entidade sorriu, generosa, e disse-lhe:

– *Esta é a Casa de Jesus na Terra, à semelhança de muitas outras, que está aberta para o bem e a caridade sem fronteiras, sem discriminação de crenças ou de ideais, desde que todas voltadas para a verdade e para o progresso da sociedade. Honrados pela oportunidade do serviço, somos nós aqueles que agradecemos, reconhecidos ao Mestre Infatigável que nos tem guiado, e ao Pai Excelso que nos ama. Constituir-nos-á sempre uma bênção poder receber* os trabalhadores da última hora *na tarefa do amor incondicional. Tenham aqui a continuação do seu lar, sempre aberto para todos os corações.*

Dona Martina e Mauro acercaram-se, beijaram a mão do benfeitor, e a doce genitora disse:

– *Sei que muitas lutas aguardam pelo filho bem-amado no processo de restabelecimento interior e de renovação espiritual. No entanto, confiado no Senhor da Vida e na bondade dos guias espirituais, ele há de alcançar a paz de que necessita para ser feliz. Deus o abençoe, nobre mentor!*

O irmão Anacleto sorriu e passou-lhe a mão sobre a cabeça, por sua vez beijando também a sua destra.

Mauro, sensibilizado até as lágrimas, não pôde traduzir as emoções. Foi o guia espiritual quem lhe disse:

– *Avance em paz, meu filho. Os caminhos da libertação multiplicam-se por toda parte. Jesus, porém, é o Caminho de segurança. Trilhe por ele, certo da vitória final. Não se deixe atormentar pelo que cometeu de errado, antes se inspire na alegria do bem que pode fazer em favor de si mesmo e daqueles a quem, por acaso, haja prejudicado. O Sol aparece após as sombras, sempre novo e iridescente. A caridade será o seu celeiro de bênçãos, que você poderá multiplicar ao infinito. Não tenha medo e entregue-se com ardor ao dever. A altitude de uma alma é medida pela sua atitude perante a vida. Ascenda no rumo da Grande Luz, e alcançará a altitude máxima utilizando-se das atitudes saudáveis e nobres.*

Sem mais delongas, o mensageiro explicou:

— Aqui chegamos, há poucos dias, com um grave compromisso em pauta, que a Misericórdia de Deus nos permitiu concluir com os melhores propósitos para o futuro. Todos aqueles que se encontravam envolvidos no programa de ação receberam o atendimento adequado e têm diante de si os descortinos do futuro, que lhes cabe conquistar. Nunca lhes faltará o socorro no momento próprio, nem as forças para o prosseguimento das realizações em marcha. O Senhor nunca nos abandona, e da mesma forma como nos tem assistido até hoje, oferece-nos o Seu auxílio para amanhã. Fitando o horizonte iluminado, avancemos todos da treva na direção do fulcro luminoso. Impedimentos, problemas e dificuldades fazem parte do processo de crescimento espiritual de todos nós, nunca devendo provocar-nos receio ou desvario. São eles que nos ajudam no desenvolvimento dos preciosos recursos que nos jazem adormecidos, esperando os estímulos próprios para se apresentarem. Portanto, agradeçamos-lhes a presença em nosso caminho e não nos detenhamos, quando venham a surgir, mesmo que de forma ameaçadora. Quem receia a luta e se detém a pensar demoradamente nela, já perdeu excelente oportunidade de avanço. Nem a intemperança, a precipitação, muito menos o excesso de cuidados para o combate ou o acúmulo de reflexões para a luta. Oportunidade é bênção que deve ser aproveitada com sabedoria.

Aproxima-se o momento de retornar aos afazeres habituais em outra Esfera de ação, porém sob o comando do Mestre Jesus.

Agradecemos a todos que cooperaram conosco, oferecendo-nos apoio e bondade, serviço e companheirismo. Demonstrando emoção acentuada, na qual transpareciam a felicidade e o anseio por mais servir, o mentor orou:

Mestre Incomparável!
Ensinaste-nos que tudo quanto pedíssemos ao Pai orando, Ele nos atenderia.
Pedimos e fomos atendidos. Agora, quando encerramos o compromisso que nos confiaste, tudo eram expectativas, embora a certeza dos resultados opimos. Confiados no Teu auxílio, não receamos enfrentar o mal nas trevas, nem nos afligimos ante as ameaças dos maus, que ainda não travaram contato contigo.
Investiste em nós, e apesar de sermos servos imperfeitos, procuramos corresponder à confiança, não obstante, reconhecemos, pudéssemos haver sido melhores servidores, conseguindo desobrigar-nos com respeito e devotamento do dever que nos foi conferido.
Os irmãos equivocados receberam o nosso melhor carinho, sem qualquer reproche, conforme Tu fazias, e agora estão sendo encaminhados para novos tentames no futuro corpo físico ou no prosseguimento da reencarnação em que alguns se encontram.
Em tudo, foi possível realizar o melhor, porque não Te afastaste de nós em momento algum, inspirando-nos e orientando-nos em todos os passos.
Agora, quando a tarefa que nos coube, se encerra, desejamos louvar-Te e agradecer-Te, suplicando-Te que prossigas

amparando-nos nos programas do porvir, porque somente Tu possuis o poder, a glória e a vida eterna.
Despede-nos, pois, Amigo Excelso, abençoando-nos.

Quando silenciou, todos tínhamos os olhos orvalhados de lágrimas que não se atreviam a escorrer pela face.

Despedimo-nos dos amigos queridos, e, após repassarmos os olhos pelo recinto onde coletamos muitas dádivas e aprendemos inolvidáveis lições, saímos na direção da porta principal acolitados pela mentora e o seu médium, mais alguns outros amigos, e rumamos para a nossa comunidade espiritual.

Olhando a Terra, que diminuía a distância, na proporção que avançávamos, podíamos ver a luz do Sol no outro hemisfério, dando-lhe uma forma e um curioso aspecto lunar. Ali, no planeta querido, estavam as nossas aspirações futuras, permaneciam muitos afetos que a morte não diluíra e aguardavam em forma de expectativas para as nossas possibilidades de retorno futuro para o autoaprimoramento espiritual.

Posfácio da editora

A cidade estranha

(Extraído da *Folha Espírita* – Janeiro/1990)
Karl W. Goldstein

Em 1959, ficamos conhecendo o Newton Boechat. Ele acabara de findar um roteiro de palestras e, passando por São Paulo, aproveitou a oportunidade para visitar-nos, iniciando então um relacionamento amistoso conosco, o qual tem durado até os dias de hoje, cada vez mais firme e cordial.

Naquela ocasião, ouvíamos interessados, as informações muito atualizadas que o Newton nos comunicava sobre o Momento Espírita, e, particularmente, a respeito de seu convívio com o grande médium de Pedro Leopoldo: *Chico Xavier*.

Newton Boechat esteve recentemente no Instituto Brasileiro de Pesquisas Psicobiofísicas (IBPP), para uma breve visita, dia 16 de janeiro de l989, às 14h, em companhia do Prof. Apolo Oliva Filho e sua digna esposa, D. Neyde Gandolfi Oliva. Nessa oportunidade, aproveitamos para relembrar o nosso primeiro encontro ocorrido há trinta anos. Pedi ao Newton que tornasse a contar o episódio que lhe fora revelado por Chico Xavier, em Pedro Leopoldo, e que ele me transmitira naquela ocasião em que nos vimos pela primeira vez. Os que conhecem o Newton são testemunhas de sua notável memória. Aproveitamos então, para obter a gravação do seu depoimento e conservá-lo, mais fielmente, para a posteridade e para os arquivos do IBPP. Eis uma súmula do que nos foi informado pela segunda vez.

Newton Boechat iniciou explicando que inúmeros fatos têm sido contados por Chico Xavier, em caráter íntimo, aos amigos e que, na ocasião, algumas vezes não era oportuna a sua revelação ao público. Entretanto, com o passar do tempo, tais confidências foram-se tornando livres de censura e poderiam ser dadas a conhecer, sem quaisquer inconvenientes. Assim, por exemplo, quando Newton estivera com Chico Xavier, em 1947, na cidade de Pedro Leopoldo, o livro intitulado *No Mundo Maior* tinha sido recentemente psicografado por aquele médium (mais precisamente, terminou de recebê-lo em 25 de março de 1947). Nesse livro, há capítulo versando sobre o sexo (cap. XI). Cerca de 30% da matéria desse capítulo, recebido psicograficamente, teve de ser suprimido, para não causar reações negativas, devido aos preconceitos ainda vigentes em nosso meio naquela época. Somente mais tarde, puderam vir a lume livros que abordaram um tanto livremente as questões ligadas ao sexo.

Mas o episódio que Newton ficou sabendo foi-lhe relatado justamente logo após o Chico Xavier haver recebido o livro *No Mundo Maior*, aproximadamente há uns 41 anos. Em Pedro Leopoldo, Minas Gerais, havia um bambuzal onde o médium costumava passear e conversar com os amigos que o procuravam. Foi ali que o Chico revelou o caso ao Newton. Ei-lo:

"Em um dos constantes desdobramentos astrais ocorridos com o nosso médium maior, durante o sono, Emmanuel conduziu o duplo-astral de Chico Xavier a uma imensa *cidade espiritual*, situada na região do Umbral. Esta lhe pareceu extremamente inferior e bastante próxima da crosta planetária.

Era uma *cidade estranha* não só pelo seu aspecto desarmônico e antiestético, como pelas manifestações de luxúria, degradação de costumes e sensualidade de seus habitantes, exibidas em todos os logradouros públicos, ruas, praças, etc. Emmanuel informou ao Chico que aquela vasta comunidade espiritual era governada por Entidades mentalmente vigorosas, porém negativas em termos de ética e sentimentos humanos. Eram estes maiorais que davam as ordens e faziam-se obedecer, exercendo sobre aquelas Entidades um poder do tipo da sugestão hipnótica, ao qual tais Espíritos estariam submetidos, ainda mesmo depois de reencarnados.

Pelas ruas da referida *cidade estranha*, desfilavam, de maneira semelhante a cordões carnavalescos, multidões compostas de Entidades que se esmeravam em exibições de natureza pornográfica, erótica e debochada. Os maiorais eram conduzidos em andores ou tronos colocados sobre carros alegóricos, cujos formatos imitavam os órgãos sexuais masculinos e femininos.

Uma euforia generalizada parecia dominar aquelas criaturas, ou mais apropriadamente, assistia-se a uma 'festa de despedida' de uma multidão revelando a certeza da aproximação de um fim inexorável, que extinguiria a situação cômoda até então usufruída por todos. De fato, aqueles Espíritos, sem exceção, haviam recebido um aviso de que estava determinado, de maneira irrevogável pelos 'Planos da Espiritualidade Superior', o seu próximo reingresso à vida carnal na Terra. A esse decreto inapelável não iriam escapar nem os próprios maiorais."

ALGUNS ANOS SE PASSARAM

O relato de Newton Boechat fora-nos transmitido aproximadamente dez anos depois do seu bate-papo com Chico Xavier, em Pedro Leopoldo. Na ocasião em que o ouvimos, o fato causou-nos uma forte impressão e pudemos gravá-lo bem na memória.

Cerca de doze anos se passaram depois que o Newton nos fez esta revelação. Lembramo-nos de que ainda trabalhávamos em uma divisão do Departamento de Águas e Energia Elétrica (DAEE), em São Paulo. Um dos nossos colegas havia regressado de uma viagem de férias. Ele estivera nos países do norte da Europa e surpresíssimo, vira em bancas de jornais, em algumas capitais, revistas pornográficas expostas à venda livremente. Impressionado com aquela novidade, ele adquiriu algumas revistas e trouxe-as, para mostrar aos amigos o que se estava passando naqueles países "ultracivilizados".

No dia em que nosso colega recomeçou a trabalhar, ele nos mostrou as tais revistas. Imediatamente, lembramo-nos do episódio que nos fora revelado por Newton e, inadvertidamente, deixamos escapar uma expressão que nenhum dos nossos colegas entendeu: "Oh! Eles já estão aí!". Realmente percebemos imediatamente que aquelas revistas deviam ser um dos sinais típicos do reingresso daqueles Espíritos que jaziam nas zonas do baixo-astral, na corrente da vida terrena. Com eles viriam mudanças profundas nos costumes da Humanidade: a licenciosidade, as "músicas" ruidosas e desequilibrantes, a rebeldia dos nossos filhos, a instabilidade das instituições familiares e sociais, e, finalmente, o que presenciamos, hoje em dia, com o recrudescimento da criminalidade e da insegurança, além do cortejo de outros inúmeros problemas com os quais se defrontam as criaturas humanas, neste atribulado fim de século.[7]

CONCLUSÃO

É elementar e poucos ignoram que a História da espécie humana se apresenta pontilhada de períodos de grandes crises, seguidos de fases de prosperidade e reequilíbrio. É semelhante a uma sucessão de ciclos que se desenvolvem como uma espiral em constante ascensão. Há um lento progredir apesar dos episódios negativos. Provavelmente, os "Planos Superiores da Espiritualidade" velam pela Humanidade, dosando sabiamente os "ingredientes" injetados na corrente da vida: a par dos Espíritos rebeldes, reencarnam também aqueles que lutam pelo bem, pela Ciência e pelo aperfeiçoamento do homem.

Não percamos a esperança...

---

7. *Correio Didier* – Março/abril de 1998 – Ano II – nº 3 (nota da Editora).

Anotações

Anotações

Anotações

Anotações